Mincir
sur mesure

Du même auteur

230 Recettes gourmandes pour mincir sur mesure,
Albin Michel, 2000

Mincir en beauté, là où vous voulez,
Albin Michel, 2000

La Cuisine saveur pour mincir en beauté,
Albin Michel, 2002

Le Régime starter,
Albin Michel, 2006

Dr Alain Delabos

Mincir sur mesure

Grâce à la chrono-nutrition

avec la collaboration du Pr Jean-Robert Rapin

Albin Michel

RAPPEL

Les termes « chrono-nutrition » et « morpho-nutrition »
sont des marques déposées.

IREN
Institut de Recherche Européen sur la Nutrition
21, rue Royale, 75008 Paris
3, rue de la Pie, 76100 Rouen
Téléphone (centralisé) : 02 35 73 09 23

www.chrono-forme.fr

Sommaire

1

Introduction
à l'usage de celles et ceux qui ont déjà tout essayé

Bienvenue à celles et ceux qui désespèrent de ne pas maîtriser leur silhouette mais ne peuvent contrôler leur gourmandise, tout en souhaitant perdre des centimètres sans changer leurs mauvaises habitudes.

Cependant, à ceux-ci et à celles-là, je le dis tout net : si vous avez acheté ce livre dans l'espoir de mincir sans rien changer à vos habitudes alimentaires, vous êtes hélas comme ces buveurs qui se jurent tous les matins que c'est le dernier verre, ou comme ces fumeurs se promettant le soir, avant de s'endormir, qu'ils viennent de fumer leur dernière cigarette. Victimes d'eux-mêmes, ils ont dans les deux cas peur d'abandonner des habitudes dont le danger leur apparaît moins important que l'espoir d'y trouver un réconfort.

Vous devez donc bien comprendre, avant de poursuivre votre lecture que, ni gourou, ni Merlin l'Enchanteur, je ne puis vous promettre la lune et encore moins vous l'offrir !

Quoique... La chrono-nutrition étant si facile à suivre, il vous suffira d'avoir confiance en moi et surtout de prendre confiance en vous pour que cette nouvelle façon de gérer votre alimentation vous paraisse très vite naturelle et vous donne l'impression d'avoir toute votre vie mangé ainsi.

Car il ne s'agit pas de subir un régime de plus mais tout

simplement de réorganiser logiquement votre alimentation en respectant les règles d'une alimentation aussi simple que révolutionnaire.

Cela vous permettra de parvenir à un équilibre alimentaire aussi satisfaisant pour votre santé que pour votre moral, sans pour cela vous obliger à passer par des préliminaires de frustration et de faim.

Minces vous deviendrez et minces vous resterez en adoptant définitivement un style de nutrition qui allait totalement à l'encontre des idées reçues il y a quelques années et que d'aucuns, autrefois critiques, copient maintenant sans complexes... et sans états d'âme.

Mais il ne faut pas oublier celles et ceux qui, ayant déjà lu, testé, suivi et apprécié mes précédents livres, souhaitent en savoir plus sur les principes de la chrono et de la morpho-nutrition.

Bienvenue donc à celles-ci et à ceux-là, qui vont découvrir avec bonheur les nouvelles avancées de nos recherches, conduisant à la mise au point des chrono-repas, aboutissement gourmet d'un apprentissage déjà émaillé de bien des plaisirs culinaires.

En effet, mes cinq dernières années d'expérience en chrono et en morpho-nutrition, me permettent maintenant de vous aider à parfaire votre art de vivre en y insérant les fantaisies des chrono-repas.

Vous qui faisiez des gammes sur la portée de la chrono-nutrition allez pouvoir avec bonheur passer aux arpèges, aux trilles et autres arabesques culinaires auxquelles vous permettront de vous livrer les chrono-repas.

Mais place aux néophytes, auxquels il faut auparavant apprendre le B.A. BA de notre art de vivre.

Comme vous le constaterez par vous-même très rapidement, si vous suivez mes indications, vous perdrez du poids et du volume en mangeant tous les jours du fromage, du pain, du beurre, du chocolat, des fruits secs... et même de la choucroute ou un steak-frites si cela vous fait plaisir. À condition, bien entendu, que ce ne soit plus à n'importe quel moment de la journée et en n'importe quelle quantité.

Vous pourrez donc vous nourrir comme vous le voudrez, pourvu que vos aliments soient naturels et choisis dans la journée en fonction des indications précises fournies par votre horloge biologique.

Mon principal travail a été de retrouver les messages de cette horloge ancestrale, faussés ou tombés dans l'oubli au fur et à mesure des civilisations, ce qui faisait déjà pousser des cris d'alarme au grand Hippocrate, médecin il y a plus de 2 500 ans. Et c'est grâce à la découverte capitale de la chrono-biologie, mettant en évidence de façon irréfutable l'existence du facteur temps dans le fonctionnement du corps humain, que j'ai pu, à mon tour, découvrir la chrono-nutrition, son expression nutritionnelle.

On peut donc manger pratiquement de tout... mais pas n'importe comment et pas n'importe quand. C'est là le grand secret de cette alimentation dont je vais vous faire découvrir tous les bonheurs, en même temps que ses principes et sa technique d'application.

Apprendre à changer des habitudes bien ancrées n'est pas toujours facile, et la route vers la minceur est semée d'embûches. Il fallait donc pouvoir vous aider à corriger à coup sûr des erreurs le plus souvent involontaires. Il existe pour cela un merveilleux outil, la morpho-nutrition, dont je vous parlerai en détail plus loin.

Si l'application de mes principes d'alimentation est étonnante de simplicité, il en est tout autrement des découvertes, des réflexions et des techniques sur lesquelles ceux-ci s'appuient. Je n'ai pu, en effet, devenir morpho-nutritionniste qu'après avoir des milliers de fois examiné et mesuré des milliers de personnes, dont il aura fallu analyser les milliers de problèmes, pour aboutir à la synthèse d'une technique maintenant éprouvée. Que d'années de recherches et d'efforts pour aboutir à un examen clinique qui permette de définir en quelques secondes les habitudes alimentaires de n'importe quel être humain !

Il m'a fallu ensuite trouver des professionnels de santé et des médecins cliniciens particulièrement expérimentés et à l'esprit suffisamment curieux de nouveauté pour leur transmettre toutes les données de la morpho-nutrition. Grâce à la remarquable ouverture d'esprit de madame le professeur Sylvette Huichard, doyen de l'université de Bourgogne, que je remercie chaleureusement de m'avoir accueilli, je transmets notamment depuis quatre ans mon savoir au sein d'un diplôme universitaire enseigné à la faculté de Dijon. Le nombre de médecins et de professionnels de la santé, chrono et morpho-nutritionnistes formés par mes soins, augmente donc régulièrement et de plus en plus vite, pour mon plus grand bonheur.

Vous pourrez tous sans exception appliquer au quotidien un art de mincir sans vous priver, en mangeant tous les aliments habituellement interdits par les régimes classiques... mais au bon moment et à condition de respecter les règles de la chrono-nutrition.

Je vous l'expliquais il y a quelques pages, tout aliment est bénéfique s'il est consommé en fonction de notre horloge biologique, donc au bon moment de la journée. Ses principes essentiels peuvent alors parvenir jusqu'à leur site d'action cellulaire, alors que le même aliment, pris à un autre moment de la journée, s'oriente vers une voie de garage et se retrouve stocké dans les cellules adipeuses.

Les habitués, qui ont déjà lu dans l'ordre la première édition de *Mincir sur mesure grâce à la chrono-nutrition*, *230 Recettes gourmandes pour mincir sur mesure*, puis *Mincir en beauté là où vous voulez grâce à la morpho-nutrition*, suivi de *La cuisine saveur pour mincir en beauté*, pourront continuer à se régaler tout les jours sans risquer de voir leur silhouette reprendre du volume et du poids.

Et aux petits nouveaux qui découvrent la chrono-nutrition et la morpho-nutrition grâce à ce livre, nous proposons d'en finir avec l'insoutenable grand écart intellectuel entre gourmandise et minceur.

Car nous avons maintenant prouvé des centaines de milliers de fois que chacun d'entre vous peut manger à sa faim, se nourrir selon ses goûts et être mince, à la seule condition de respecter les principes de la chrono-nutrition. Et comme une bonne nouvelle ne vient jamais seule, non seulement on pourra satisfaire son appétit à son gré et gérer son poids, mais on pourra également maîtriser sa silhouette – c'est-à-dire ses volumes – en suivant les règles simples de la morpho-nutrition conseillée dans mon deuxième livre *Mincir en beauté*.

À chaque ouvrage technique traitant de la nutrition, j'ai donc demandé à Guylène, mon épouse, d'écrire un livre de recettes, toutes plus agréables les unes que les autres. *La cuisine saveur pour mincir en beauté* a donc succédé aux *230 Recettes gourmandes pour mincir sur mesure*.

Ces nouvelles recettes étant destinées, comme les précédentes, à vous faire oublier avec bonheur la diététique et à jeter aux orties, sans regrets, les mets sans saveur, les plats insipides et autres nourritures tristes à pleurer.

■ *Retrouvez le bonheur de manger avec plaisir*

Grands ou petits, gras ou maigres, affamés ou non, vous apprendrez ou continuerez à manger naturellement, accédant ainsi, toutes et tous à la minceur, sans jamais plus avoir l'impression de vous priver ni, à l'inverse, éprouver la sensation d'avoir trop mangé.

Comme je l'ai écrit dans *La Cuisine saveur*, vous n'aurez ainsi plus, les uns et les autres, à faire preuve de courage et encore moins d'héroïsme, son fugace paroxysme, en vous imposant un régime, ce qui vaudra mieux pour vous comme pour votre entourage. Ces vertus se trouvaient en effet vite épuisées par les tentations du quotidien, perfides génératrices de dérapages incontrôlés, eux-mêmes responsables de remords et de fâcheuses sautes d'humeur !

Notre but essentiel est de vous faire retrouver, grâce à nos livres de recettes, les joies simples d'une alimentation naturelle et sans interdits aussi punitifs qu'inutiles. Ainsi, deux plats chaleureux comme la choucroute ou le cassoulet, auxquels certains attribuent à tort le même symbolisme tentateur que le cochon de saint Antoine, se trouveront en bonne place dans nos riches déjeuners d'hiver, sans regrets ni remords.

Aucune fantaisie ne vous sera non plus refusée dans les accommodements et les sauces de vos plats préférés, à condition de respecter les bonnes quantités et les bonnes proportions des aliments qui les composeront.

■ *Respectez les schémas alimentaires de la morpho-nutrition*

Bien entendu, si vous souffrez de troubles métaboliques, il faudra, à l'évidence, tenir compte de ceux-ci dans votre alimentation quotidienne.

Mais rassurez-vous toutes et tous c'est seulement si vous êtes sujet à un diabète insulino-dépendant ou à une hypercholestérolémie vraiment importante qu'il vous faudra restreindre un peu le choix des recettes proposées dans nos livres.

Par contre, si votre bilan a révélé des carences causées par un régime amaigrissant ou de mauvaises habitudes alimentaires, puiser dans nos recettes avec bonheur vous aidera à retrouver votre équilibre nutritionnel. joignant ainsi l'utile à l'agréable !

STOP AUX ERREURS DE LA DIÉTÉTIQUE TRADITIONNELLE !

■ *Arrêtons les régimes punitions*

Lorsque, en 1985, en arrêtant de fumer, j'ai pris soudain 20 kg, j'ai fait malgré moi l'expérience des régimes. M'y étant courageusement résolu, j'en garde l'horrible souvenir d'une nourriture triste à pleurer, s'accompagnant d'un perpétuel état de manque impossible à contrôler et, surtout, d'une sensation de fatigue permanente.

Quel que soit le régime adopté, il sera obligatoirement carentiel s'il est fondé sur la diététique, ce mot portant en lui-même la désignation de son péché capital : **la diète**.

Toute carence entraîne un déséquilibre obligeant le corps à puiser dans ses réserves. Plus la diète sera sévère, plus la carence sera prononcée, donc plus vite on maigrira sans laisser à l'organisme le temps de stabiliser ses métabolismes. D'où un effet pervers de fatigue permanente allant jusqu'à la dépression si l'on a vraiment exagéré les privations.

C'est pourquoi, dans les ouvrages prétendant vous faire maigrir à volonté, en trichant avec votre alimentation, on prend bien soin de vous avertir que vous ne devez pas dépasser dix jours de ce martyre... ou alors on vous conseille fortement de vous gaver de vitamines en même temps qu'on vous nourrit de sachets ou de boîtes dont il vaut mieux ignorer la nature du contenu.

On a beaucoup parlé de la dépression entraînée par certains régimes. Pour l'avoir ressentie, je peux vous affirmer qu'elle est bien réelle et de cause pratiquement toujours organique.

L'explication médicale de ce fâcheux effet secondaire des régimes carentiels est d'ailleurs très simple : toute technique consistant à supprimer les corps gras de l'alimentation obligera l'organisme à rechercher partout ce gras dans ses propres cellules. C'est d'ailleurs le but recherché de l'opération... mais, ce faisant, on va déclencher une recherche de gras là où il y en a le plus : dans le cerveau, au niveau des gaines de myéline entourant les neurones ! Vous comprendrez pourquoi ce genre de fantaisie peut provoquer des catastrophes.

Plus insidieuse, mais à terme encore plus décevante, est la méthode consistant à diminuer globalement en trois repas égaux la nutrition quotidienne. On provoque dans ce cas le phénomène de surcompensation, auquel notre corps répondra **inéluctablement**, obéissant en cela à un réflexe de survie ancestral.

Toute carence, dès qu'elle pourra être compensée, sera en effet augmentée d'autant de réserves... en prévision d'une disette future ! Mécanisme naturel de tous les animaux hibernants, mais également de tout animal risquant de subir une carence.

Regardez les tableaux des grands maîtres flamands, et notamment ceux de Bruegel l'Ancien... Pourquoi croyez-vous donc qu'il a peint tant de festins d'automne et de printemps ?

Voilà toute l'explication des fameux « régimes Yo-Yo ».

■ *Oublions les régimes Yo-Yo*

L'oscillation périodique entre grosseur et maigreur est le résultat typique de ce qu'on appelle les régimes Yo-Yo, qui mènent inéluctablement à une redoutable ascension du poids dont je vais vous expliquer le mécanisme : cette escalade est la conséquence logique d'une réponse de votre corps à un phénomène de carence alimentaire provoquée par le déséquilibre volontaire et restrictif, à l'aide d'un régime volontairement carentiel, d'une nutrition qui était déjà anormale puisqu'elle vous faisait grossir.

À l'issue de ce régime, votre corps, pour éviter une future carence, stockera inévitablement des réserves dans le but de prévoir une prochaine disette !

Conclusion : en cherchant à corriger une anomalie involontaire par une anomalie volontaire, on aggrave le problème au lieu de le résoudre.

Ce qui explique pourquoi plus vous persistez dans la voie des régimes, plus vous grossissez !... Et me fait ajouter que, en fait de régimes Yo-Yo, on devrait plutôt parler de régimes escaliers, puisqu'ils mènent d'étage en étage à un poids et un volume de plus en plus élevés.

À l'inverse, la chrono-nutrition n'est pas destinée à vous faire mincir en quelques jours pour vous laisser ensuite reprendre vos mauvaises habitudes et vos kilos (votre organisme en profiterait d'ailleurs pour en ajouter quelques-uns, histoire de vous punir de l'avoir fait souffrir), **mais à vous permettre d'adopter définitivement et sans souffrir l'alimentation exactement adaptée aux besoins de votre organisme.**

Beaucoup d'entre vous le savent : avant de devenir nutritionniste, j'ai été pendant de nombreuses années médecin généraliste et gériatre. À cette occasion, j'ai souvent eu à traiter des gens âgés devenus dépressifs, colériques ou lymphatiques en raison d'un état de dénutrition chronique lié à la perte de l'appétit. L'apparition des mêmes signes sur ma propre personne lors de mes différents essais de diététique m'a, heureusement, permis de vite comprendre le danger des régimes et poussé à résoudre mon problème en trouvant une solution plus intelligente et surtout durable.

Deux réflexions s'imposaient d'emblée :

– manifestement, mon organisme éprouvait une répugnance avérée envers les distorsions alimentaires auxquelles je le soumettais, et faisait tout pour m'en dissuader ;

– plus je décalais l'ordre de mes repas en mangeant moins le matin, plus j'avais faim le soir. Pire, en faisant cela, même si la quantité journalière de mes aliments était la même, plus je grossissais. Il y avait là de quoi franchement désespérer... jusqu'au jour où j'ai compris qu'il existe un facteur temps dans notre alimentation quotidienne et que, si on le néglige, on court plus ou moins vite à la catastrophe.

C'est par cette prise de conscience qu'a commencé mon chemin vers la chrono-nutrition et le bouleversement de toute ma vie. Après vingt années d'exercice de la médecine générale et de la gériatrie, je suis en effet devenu nutritionniste à part entière et directeur de l'Institut de recherche européen sur la nutrition (IREN). Cet institut, créé à la demande du professeur Jean-Robert Rapin, est né de la rencontre de ce chercheur mondialement connu et de six cliniciens mettant en commun leurs connaissances pour m'aider à valider les principes naturels de nutrition ayant abouti au concept de chrono-nutrition. Mes recherches personnelles ont permis d'y ajouter trois ans plus tard le concept de morpho-nutrition, outil indispensable au contrôle et au suivi de la chrono-nutrition.

Au cours de mon odyssée nutritionnelle, j'ai pris conscience de la chance que j'avais eue de réussir à démêler l'écheveau alimentaire dans lequel nous a empêtrés la diététique moderne.

Heureux d'en avoir bénéficié personnellement pour mon plus grand bien, **il m'a paru logique de vous faire partager mes découvertes et de vous faire le plaisir d'en profiter en même temps que moi.**

■ *Ne cédons pas aux sirènes du tout diététique*

Bien que la chrono-nutrition soit en passe de devenir la pierre de touche de la nutrition moderne, vous êtes encore en permanence attirés par les voix des sirènes vantant des systèmes alimentaires aussi variés qu'inefficaces, parfois même dangereux. Le résultat obtenu étant souvent bien loin des promesses de départ, si vous n'avez pas fait de la diététique votre évangile, il vous suffira de prendre conscience de ses limites et de tenter une autre voie pour arriver au but recherché.

Rien ne me fait plus plaisir d'ailleurs que d'initier à la chrono-nutrition des personnes me disant avoir essayé plusieurs méthodes d'amaigrissement avant de venir me consulter.

Je me souviens avec amusement du temps où, après

m'avoir écouté, certains me déclaraient parfois : « Mais cela ne peut pas marcher votre méthode, c'est l'inverse de tout ce que j'ai lu dans les journaux, avez-vous des preuves de ce que vous dites ? » Je leur conseillais alors de découvrir avec moi tous les bienfaits de la chrono-nutrition, d'en faire personnellement l'expérience, puis de revenir me consulter ensuite pour que nous en discutions...

■ *Allons à l'encontre des idées reçues*

Il est navrant de constater qu'à l'heure actuelle des diététiciens, formés à une école dont je ne fais pas partie, s'acharnent encore à conseiller des régimes dont on sait parfaitement qu'ils seront pour le moins décevants à long terme, voire même dangereusement carentiels.

J'ai, pour ma part, préféré suivre dans les années 1990 à la faculté de médecine de Nancy (centre médical de nutrition humaine, diététique et thérapeutique) exclusivement les cours de sciences fondamentales organisés par le professeur Debry afin de rafraîchir mes connaissances dans un domaine en perpétuelle évolution.

Au sein d'un diplôme universitaire classique de nutrition, des chercheurs venaient de toutes les facultés de France et d'Europe pour nous expliquer l'extrême pointe des recherches sur le métabolisme nutritionnel. Pour le médecin clinicien que je suis, ces mises au point furent très précieuses, confirmant par des notions scientifiques irréfutables les faits que j'avais pu constater cliniquement grâce à l'observation et au suivi de milliers de patients depuis des années.

Par contre, je ne mis les pieds que très brièvement aux cours d'application pratique du diplôme, ceux-ci étant totalement à l'opposé de ce que j'avais découvert et parfois même en flagrante contradiction avec ce qu'on m'avait enseigné le matin même... Dogmatisme français, que de crimes on commet en ton nom ! Je ne suis donc pas diplômé en diététique appliquée, ce qui ne manque franchement pas à ma culture nutritionnelle, celle-ci y étant totalement opposée... pour ne pas dire allergique !

Mais tout cela est bien loin maintenant, les choses sont claires et la chrono-nutrition reconnue, donc vous, les déçus des régimes, les anxieux, les désabusés, les découragés... reprenez tous espoir !

Si vous me laissez vous prendre par la main, je vous promets, comme je l'ai déjà fait pour des dizaines de milliers de personnes avant vous, qu'il vous suffira de suivre mes conseils pour retrouver votre minceur en même temps qu'une santé superbe et votre joie de vivre !

C'est ce qui m'est arrivé quand, en 1986, j'ai enfin cessé d'être gros et malheureux pour redevenir mince et heureux.

■ *Kilos de plume, kilos de plomb*

Chacun sait qu'il y a des aliments très nourrissants, denses, lourds, voire pesants, et des aliments peu nourrissants, légers jusqu'à en être aériens.

Plus un aliment est lourd, moins il en faut pour être correctement nourri et, à l'inverse, plus il est léger, plus il en faut en volume pour le même équilibre.

Ne vous étonnez donc plus de perdre du poids et de prendre du volume quand vous mangez allégé sans vous résoudre à vous affamer, car il faut, pour satisfaire votre appétit, deux à dix fois plus de nourriture de régime que d'aliments naturels. L'exemple suivant le prouve...

Il faut 30 g de lipides purs par jour pour satisfaire les besoins quotidiens de l'être humain : pour cela, 100 g de fromage suffiront, mais il faudra 500 g de yaourt ou 1 litre de lait par jour.

Au bout d'un an, on aura mangé 36,5 kg de fromage, ou 182,5 kg de yaourt, ou 365 litres de lait, soit environ 360 kg.

La comparaison des poids laisse rêveur... et fait tout de suite comprendre pourquoi il vaut mieux manger chaque jour plutôt dense et lourd que volumineux et léger.

■ *Inutile de manger léger pour s'alléger*

On nous a depuis toujours répété en diététique : « Mangez léger pour être léger, diminuez les calories, vous maigrirez. » Ne suivez plus cette voie en impasse et ne mangez plus dans l'unique but de maigrir, mais mincissez et restez mince en continuant tout simplement à bien manger.

Foin des kilos de plumes imposés par les diététiciens qui donnent des silhouettes en édredon, mangez des kilos de plomb, qui font les corps légers comme des plumes !

Ainsi vous commencez à comprendre que notre chrono-nutrition ne repose pas, à l'évidence, sur les mêmes critères que la diététique pour corriger ce qui est devenu, dans les pays riches, un phénomène de société.

Beaucoup de gens y ont donné mille réponses plus ou moins crédibles et proposé, pour le résoudre, mille solutions miracles en général fort compliquées, et hélas plus souvent inspirées par de coupables intérêts que par d'innocentes convictions.

■ *Mincir n'est pas maigrir*

Il faut donc supprimer définitivement les erreurs responsables de notre prise de poids ou de volume si nous ne voulons pas retrouver inéluctablement ce poids et cette silhouette qui nous déplaisent.

Il ne s'agit pas de maigrir mais de mincir. Le mot « maigrir » me choque, car vouloir maigrir équivaut souvent à fragiliser notre santé.

Avant de devenir nutritionniste, j'ai soigné des personnes de tous âges et de toutes conditions, dans ma vie de généraliste et de gériatre. En vingt années de carrière, j'ai appris à redouter l'amaigrissement spontané d'un patient car ce n'est jamais un bon signe, surtout s'il est brutal et accompagné de pâleur annonciatrice de catastrophe.

Où est la différence entre maigrir et mincir ? Elle est... de taille !

Maigrir, c'est perdre sans distinction autant ce que vous

avez emmagasiné d'utile que ce que vous avez stocké d'inutile. En maigrissant, vous perdrez donc des muscles en même temps et parfois plus vite que de la graisse.

Mincir, c'est vous débarrasser simplement de ce que vous avez accumulé en trop et qui vous gêne. En mincissant, vous vous débarrasserez uniquement de ce qui gênait le bon fonctionnement de votre organisme : l'excès de gras et d'eau.

On peut en effet être lourd tout en étant mince et en bonne santé, ou léger en même temps que gras et fatigué, ou maigre et mal portant.

Je m'efforce de vous rendre tous minces et bien faits, l'œil vif et la mine claire, la parole assurée et les joues roses...

Autant de signes d'équilibre physique et psychologique qui me donnent l'assurance, en vous examinant, que vous m'avez écouté sans faire d'erreurs et que vous avez correctement appliqué les principes de la chrono-nutrition.

■ *N'accusons pas à tort notre métabolisme*

Notre corps, cette belle machine, se modifiera en fonction des habitudes alimentaires, bonnes ou mauvaises, que nous prendrons. Il se borne en toute circonstance à utiliser ou à stocker les aliments que nous lui faisons ingérer.

À tous ceux qui critiquent leur corps quand ils le voient s'enlaidir en grossissant, je réponds qu'il n'est en fait que la victime innocente de leurs erreurs.

Tout comme le mauvais ouvrier se plaint de ses outils,

le mauvais mangeur se plaint de ses organes : se donner un grand coup de marteau sur le pouce n'est pas la faute du marteau. Et ce n'est pas la faute de notre foie s'il devient gras comme celui d'une oie parce que nous mangeons du fromage le soir avant d'aller nous coucher !

Sachons que nos habitudes sont pratiquement toujours responsables de notre silhouette, et n'allons pas non plus accuser les glandes qui, heureusement pour nous, sont très rarement en cause quand apparaît un problème de morphologie, de poids, ou les deux.

Depuis 1987, j'ai examiné plus de 30 000 patients, et le bilan biologique a permis de découvrir, dans moins de 1 cas sur 1 000, un diabète ou une hypercholestérolémie d'origine génétique ; toutes les autres anomalies étant liées à des erreurs nutritionnelles.

Quant aux anomalies thyroïdiennes, qu'on retrouve dans seulement 1 cas sur 100 environ, celles-ci ne sont en rien un obstacle à la minceur, à condition bien entendu d'être traitées correctement.

Le yaourt nocturne n'a rien d'innocent, pas plus que la petite chose sucrée à la fin d'un repas.

Si vous ne faisiez pas d'erreurs alimentaires, vous n'éprouveriez pas le besoin de me lire. Encore faut-il prendre conscience de ces erreurs.

Là où le problème devient ardu, c'est quand, avec une bonne foi touchante, un patient me déclare : « Vous savez docteur, je ne mange presque rien ! » Suit alors la litanie de prétendus problèmes de glandes et de familles de gros depuis tant et tant de générations, qu'il m'énumère comme pour me mettre au défi de parvenir à le sortir d'un problème à ses yeux insoluble. Deux épouvantails qui n'ont en fait pratiquement jamais de réalité physiologique ni génétique.

Dans le bilan biologique que je demande de faire systématiquement, on ne trouve que rarement des anomalies, d'ailleurs en général faciles à corriger ou à contrôler par la simple réorganisation de votre alimentation selon les principes de la chrono-nutrition.

Par contre, en cherchant du côté des ascendants et collatéraux familiaux, on trouve une tradition de redoutables erreurs alimentaires dont on est bien obligé de se rendre compte en écoutant mes explications.

PRIORITÉ À LA SILHOUETTE

Votre corps est comparable à une automobile dont vous êtes les conducteurs et dont vous me demandez d'être le mécanicien.

Autant il sera facile pour le médecin morpho-nutritionniste de constater comment on mange en examinant la carrosserie, dont les formes correspondent aux habitudes alimentaires, autant il lui sera nécessaire de regarder les résultats de laboratoire pour savoir comment fonctionne le moteur.

■ *Carrossier ou garagiste*

Ceci amène en toute logique à la conclusion suivante : entre un diététicien et un nutritionniste, il y a la même différence qu'entre un carrossier et un garagiste, le second se préoccupant du véhicule entier alors que le premier s'intéresse seulement à la carrosserie.

Examiner la carrosserie signifie tout simplement mesurer soigneusement votre **tour de poitrine,** votre **tour de taille et** votre **tour de hanches,** l'ensemble de ces trois paramètres me permettant de définir votre morphotype, lequel me renseignera de façon très précise sur la façon dont vous mangez et quelles sont vos erreurs alimentaires. Répétée à chaque contrôle, cette redoutable « évaluation morphologique » me servira à déceler impitoyablement toutes les erreurs commises entre deux consultations.

Mais pour effectuer un travail complet de morpho-nutrition, il me faut aussi lire l'indispensable bilan biologique pour faire le point de la situation.

■ *Se soucier plus de ses formes que de son poids, et plus de sa santé que de sa minceur*

Ne croyez pas que le poids m'indiffère, mais il convient de le remettre à la place qu'il mérite, c'est-à-dire comme un des paramètres permettant l'évaluation des excès ou des carences, celui-ci évaluant les variations uniquement en quantité mais pas en qualité.

On peut très bien, en effet, être dodu et léger ou lourd et mince, ces deux silhouettes correspondant à des attitudes alimentaires fondamentalement différentes.

Il existe en tout 6 paramètres permettant à la morpho-nutrition de définir pour chaque personne un programme nutritionnel quotidien personnalisé puis de surveiller l'évolution des habitudes alimentaires pour nous aider à retrouver l'équilibre de nos formes...

Les quantités d'aliments seront définies très précisément : ni trop ni trop peu sera notre credo. Mangeons ce qu'il faut quand il le faut, sans excès ni restriction.

On contrôlera ensuite avant tout la silhouette et secondairement le poids, l'erreur classique consistant à ne contrôler que son poids étant le triste résultat de la diététique. Celle-ci, comptant en kilos et en calories, met sur le même plan nutritionnel des aliments qualitativement très différents et fait ainsi courir très souvent le risque d'amener des carences dépressogènes et fragilisantes engendrant chute de cheveux, triste mine, peau flasque... J'en passe et des moins réjouissants !

Il est pourtant beaucoup plus logique de compter en volume et en équilibre alimentaire.

Le simple fait de donner à un organisme l'aliment nécessaire au moment où il en a besoin lui permet de se débarrasser, sans souffrir, de tout ce qu'il a stocké pour pallier les carences provoquées par des erreurs alimentaires.

On ne fait donc plus courir le risque à notre corps de mal se défendre contre les agressions, qu'elles soient traumatiques, infectieuses ou psychologiques.

■ *La silhouette « mauvaise mine »*

Vous l'avez lu tout à l'heure, il y a une différence fondamentale entre mincir et maigrir, la première démarche ne faisant qu'éliminer le surplus de volume et de poids, la seconde faisant perdre autant de poids et de volume utiles qu'inutiles.

Combien de fois s'est-on entendu demander si l'on était malade à la fin d'un régime strict ? Parallèle logique quand on sait que la maladie oblige le corps à puiser dans ses réserves vitales, faisant terriblement fondre le visage et les muscles avant le ventre et les fesses.

Après une diète féroce, on obtiendra le même résultat dans un but pourtant diamétralement opposé. Que cette diète soit subie ou volontaire, la silhouette sera identique en finale et plus ou moins décharnée, mot qui résume de façon lapidaire le piètre résultat obtenu, se traduisant par un morphotype ascétique : maigre du haut, maigre du milieu et maigre du bas.

■ *La silhouette « pomme-salade-yaourt »*

Tout aussi décevante sera la silhouette obtenue en diminuant la qualité des aliments. Cette silhouette sera plus dodue que lourde et plus fessue qu'épaulée. C'est l'illustration frappante du mode alimentaire « pomme-salade-yaourt », correspondant au morphotype Kéops : seins gros comme des petits pois, taille épaissie et fesses énormes.

Rien ne m'a fait autant sourire que d'entendre un nutritionniste en vogue déclarer sentencieusement à une femme, lors d'une émission de télévision, que si elle avait des formes généreuses au niveau des fesses c'est que la nature l'avait faite ainsi !

Cette dame se trouvait ainsi classée, sans pitié, dans la cohorte des erreurs de la nature, alors que sa question était fort pertinente : « Pourquoi docteur, bien que j'aie perdu beaucoup de poids avec votre régime, n'ai-je jamais pu perdre mes hanches ? »

On aurait pourtant pu lui faire une réponse plus efficace en lui conseillant tout simplement de cesser de ne manger que des aliments légers dans l'espoir toujours déçu de perdre du volume en même temps que du poids.

La génétique n'était, en effet, nullement responsable des formes de la dame et n'importe lequel de mes élèves vous dira qu'en se gavant de salades composées ou d'aliments allégés, on s'encombre à brève échéance d'une cellulite aussi disgracieuse que mal placée. Les légumes contenant beaucoup d'eau et de sels minéraux, mais très peu d'éléments réellement nourrissants, il en faudra une énorme quantité pour parvenir à ne calmer que partiellement un appétit toujours insatisfait.

Avec la conséquence d'accumuler en même temps une formidable quantité d'eau dans les cellules adipeuses, récepteurs privilégiés de cet excès... Je vois que vous avez tout compris !

Quant au prétendu allègement des aliments, il consiste à rajouter de l'eau et des algues à la nourriture normale, cet « enrichissement » malencontreux n'étant destiné qu'à le rendre moins nourrissant à volume égal et on reprend le problème précédent.

D'autant plus que, s'il est utile de boire à sa soif une boisson peu ou pas trop minéralisée, il est par contre redoutable de mêler cette eau lors de leur préparation à des aliments par nature très minéralisés ou salés.

Intimement incluse dans les aliments avant leur ingestion dans l'estomac, celle-ci sera alors « mangée » au lieu d'être bue. Elle ne pourra donc pas être libérée rapidement dans le système sanguin et sera lentement distillée dans le système lymphatique pour ensuite favoriser le développement de la cellulite.

■ *Une silhouette musclée sans effort*

Il vous suffira tout simplement de rectifier quelques redoutables erreurs nutritionnelles pour avoir des fesses fermes, un ventre plat et des épaules musclées, sans pour autant vous martyriser et parvenir sans efforts démesurés au superbe morphotype Galilée, parfait équilibre de la silhouette humaine.

J'ai aidé à retrouver un corps acceptable des mangeuses de yaourt ventrues, des dévoreuses de salades fessues, des gloutons de gâteaux, épais comme des tours, chacun victime de différents travers alimentaires, responsables de déformations à divers endroits de leurs silhouettes respectives, selon les mauvaises habitudes alimentaires qu'ils avaient prises.

Je vous ai parlé de ventres plats, de fesses fermes, d'épaules musclées et j'en vois certains parmi vous verdir à l'idée de se lancer comme des fous dans toutes sortes de sports épuisants et dévoreurs de notre précieux temps.

Pas du tout ! Restez à l'aise dans vos fauteuils et détendez-vous, car il n'est nul besoin d'être des sportifs acharnés pour retrouver un corps en bon état. Il suffit de rééquilibrer votre alimentation, et sachant qu'à nourriture carnivore correspond un corps carnivore, vous saurez donc que si vous mangez panthère vous serez panthère, si vous mangez mouton vous serez mouton, quelle que soit votre activité physique.

Bien entendu, plus vous ferez de l'exercice, mieux cela vaudra. Un corps qui remue risque beaucoup moins de devenir dodu et plutôt que de proclamer « buvez-éliminez », je pense plus utile de vous dire « bougez-éliminez ».

Mais attention, votre quantité de nourriture devra dépendre de votre activité ! Si vous vous dépensez beaucoup, vous pouvez vous nourrir beaucoup plus que si vous ne vous dépensez pas du tout.

Soyez prudents et ne négligez pas les conseils que je vous donnerai, afin de parvenir à adapter votre système alimentaire à votre style de vie... et non l'inverse !

■ *Vérifions votre état de santé biologique avant de commencer*

Quand un patient vient me consulter pour la première fois, je demande systématiquement un bilan biologique très complet pour vérifier qu'il n'existe pas une éventuelle anomalie dans le fonctionnement de sa mécanique humaine.

Si vous souhaitez tenter la démarche en solitaire, il sera donc plus prudent de demander à votre médecin traitant de procéder à ce même bilan avant de commencer cette réorganisation alimentaire.

Pour évaluer correctement votre métabolisme nutritionnel, le bilan devra explorer différents organes.

Bilan biologique	
ORGANES	EXAMENS BIOLOGIQUES
FOIE	– Cholestérol – Triglycérides – Gamma GT
PANCRÉAS ENDOCRINE PANCRÉAS EXOCRINE	– Glycémie – Amylasémie
REINS	– Créatinine – Acide urique
SANG	– Hb Alc – NFS – Ferritine
THYROÏDE	– T4
HYPOPHYSE	– TSH
MOELLE OSSEUSE	– NFS

Toute anomalie devra mener à compléter, s'il le faut, ce bilan global et pourra obliger à certaines restrictions alimentaires, comme je l'indique en pages 50-51 ou au contraire accentuer la fréquence de certains aliments en cas de carences.

Mais beaucoup d'anomalies ne sont dites que de « surcharges » et disparaîtront en même temps que votre excès de volume ou de poids, tout comme les carences – et notamment les anémies – se corrigeront par une nutrition plus riche en l'élément ayant fait défaut dans l'alimentation. Attention ! Il ne faut pas tomber dans le travers de la surcompensation qui provoquerait un effet de balancier dans votre équilibre biologique.

Il suffira simplement de manger normalement en respectant nos principes pour que les manques, aussi bien que les excès, se corrigent tout naturellement.

Cette exploration biologique soigneuse nous permettra de savoir si vous pouvez manger comme tout le monde ou si une anomalie dans le fonctionnement de vos organes nous oblige à traiter celle-ci et à prendre quelques précautions, très rarement définitives heureusement, dans la conduite personnelle de votre alimentation.

La chrono-nutrition aidera efficacement le médecin traitant à gérer un diabète génétique en permettant de mieux le contrôler... dans la mesure où celui-ci aura d'abord été correctement pris en charge médicalement.

Ainsi le traitement très simple d'une hypothyroïdie permet aux personnes qui en sont atteintes de mener une vie parfaitement normale et de manger d'emblée comme tout un chacun.

Mieux encore, et c'est une grande nouvelle pour tous ceux et celles qui en souffrent, nous avons apporté la preuve, grâce aux travaux de l'IREN, que les hypercholestérolémies génétiques peuvent être totalement maîtrisées grâce à la chrono-nutrition, à condition de respecter à la lettre un protocole nutritionnel très précis.

Quant aux diabètes et aux hypercholestérolémies seulement liés aux surcharges, ils peuvent et même doivent disparaître en mettant tout simplement fin à des erreurs nutritionnelles plus ou moins multiples.

On aboutit ainsi à une manière de vivre parfaitement saine et sans restriction alimentaire, à condition de respecter définitivement ce nouveau style de vie.

2

La méthode Delabos

Sujette à bien des sarcasmes à ses débuts, comme pratiquement toutes les nouveautés sortant des sentiers battus – même si ceux-ci menaient tous à des impasses –, la chrono-nutrition a, depuis plusieurs années, largement fait les preuves de son efficacité.

Mieux encore, je vous le disais tout à l'heure, une étude scientifique récente a prouvé son utilité dans la gestion des troubles métaboliques, notamment l'hypercholestérolémie.

Cela n'empêchant d'ailleurs pas dans ma province certains médecins, ardents défenseurs des dogmes et de l'ordre établi, de jurer leurs grands dieux qu'on devrait brûler sur la grand-place, comme la pauvre Jeanne, le misérable charlatan que je suis à leurs yeux.

Voilà pourquoi il était absolument nécessaire qu'un institut de recherche sur la nutrition puisse m'aider à valider le résultat de mes recherches. C'est chose faite puisque ma méthode a été validée par des scientifiques d'horizons différents.

Grâce à l'impulsion du professeur Jean-Robert Rapin, très vite intéressé, puis passionné par les implications de mes découvertes, ce chercheur de renom et six cliniciens ont donc étudié ensemble des principes de nutrition qui ne s'adressent pas exclusivement aux obèses ou aux malades, mais à toute personne désireuse d'être en bonne santé et en bonne(s) forme(s) au singulier comme au pluriel. Je tiens à rendre ici hommage à cet éminent chercheur en pharmacologie dont les réflexions et les travaux ont abouti à la validation du concept de la chrono-nutrition dont il est, depuis des années, le fervent soutien.

À cette équipe des premières années sont venus se joindre des médecins, des pharmaciens, des professionnels de la santé. Étant le découvreur de la chrono-nutrition, il m'appartenait tout naturellement de mettre au point pour l'ensemble de la population une méthode d'alimentation naturelle, prolongement logique de la chrono-nutrition, elle-même fondée sur la chrono-biologie.

Issue d'observations cliniques sur plus de 30 000 patients, la chrono-nutrition s'est tout d'abord appliquée sous forme de réorganisation nutritionnelle aux personnes ayant des problèmes de maigreur ou de surcharge pondérale. Mais très vite, je me suis rendu compte que ses bienfaits ne se limitaient pas à cela et qu'il serait utile d'étendre ceux-ci à l'ensemble de la population.

N'étant pas un régime, on pouvait en effet la proposer sous forme d'éducation alimentaire aux jeunes enfants, de top-nutrition aux sportifs, de nutrition-santé aux personnes souffrant de désordres métaboliques, de nutrition-beauté aux mannequins, de préparation à la grossesse aux futures mamans, aussi bien qu'aux femmes enceintes ou allaitantes.

Il ne restait plus qu'à en définir les règles pour chaque problème particulier, ce que nous sommes en train de mettre en place pour votre plus grand confort et votre satisfaction.

L'alimentation naturelle, suite logique de toute réorganisation, s'adressera ensuite à toute personne souhaitant rester en bon équilibre physique et psychique tout au long de sa vie.

Quels que soient donc votre âge, votre sexe, votre nationalité ou vos convictions religieuses, chacun d'entre vous est concerné par l'ouvrage qui va suivre, car bien manger concerne chacun d'entre nous et mal manger est un danger pour tous.

■ *Un retour aux principes ancestraux*

À l'opposé de toutes les inventions diététiques, la chrono-nutrition s'appuie sur le fonctionnement normal de l'organisme humain afin de corriger les erreurs alimentaires.

Au lieu d'inventer un énième système alimentaire, j'ai tout simplement recherché puis appliqué les principes ancestraux qui, pendant des centaines de milliers d'années, ont permis à l'animal humain primitif de survivre, en les adaptant à notre civilisation actuelle.

Bien entendu, il ne s'agissait pas de découvrir le secret d'une hypothétique longévité, mais de retrouver la bonne condition physique de nos ancêtres leur permettant de survivre dans des conditions parfois très difficiles.

Cette condition physique idéale permettant d'ailleurs actuellement à toute personne vivant dans des conditions de sécurité satisfaisantes d'allonger considérablement son espérance de vie.

Il y a 200 manières de perdre du poids pour maigrir, il n'y a qu'une façon de se nourrir correctement afin d'avoir un corps mince et en bonne santé : c'est celle que

nos lointains ancêtres suivaient d'instinct pour survivre, obéissant aux lois de la nature, comme le font encore les animaux sauvages.

■ *Le choix d'une nouvelle technique*

Jusqu'à présent, pour mincir et maintenir un corps en bonne santé, on ne pouvait opter que pour deux techniques principales ne servant strictement qu'à maigrir.

La diététique

Elle consiste à créer un système alimentaire artificiel, volontairement restrictif, afin d'assurer une perte de poids en s'appuyant sur un régime hypocalorique.

L'examen clinique (essentiellement la pesée) ne comporte aucune évaluation des volumes, sauf parfois une évaluation du rapport taille/hanches.

La nutrition

Cette méthode permet de mieux définir les erreurs alimentaires à corriger, mais elle souffre de deux imperfections notables :

– Dans cette technique, l'interrogatoire prime sur l'examen clinique, qui comporte le plus souvent, en même temps que la pesée du sujet, la mesure du rapport poitrine/taille/hanches.

Il s'appuie sur une évaluation poussée du vécu antérieur du patient et sur une enquête alimentaire qu'on demande à ce dernier d'effectuer lui-même à l'aide d'une grille hebdomadaire.

Mais le patient, intervenant en tant qu'interlocuteur, n'écrira et ne dira que ce qu'il voudra, si bien que les résultats sont très souvent entachés de subjectivité.

– Autre inconvénient, plus important encore, l'absence de chronologie correcte dans la répartition qualitative et quantitative quotidienne des aliments.

La chrono et la morpho-nutrition

Cette troisième voie de la chrono-nutrition, que j'ai mise au point depuis 1996, permet à n'importe quel individu (homme, femme, enfant ou personne âgée), de retrouver une silhouette parfaitement équilibrée, qu'il s'agisse de faire mincir quelqu'un de gros ou de redonner du volume à quelqu'un de maigre.

Mais il fallait en même temps pouvoir évaluer sans incertitudes la qualité du suivi nutritionnel par le sujet, et pour cela recourir à un autre moyen que l'interrogatoire, très subjectif, tout en me donnant la possibilité de contrôler, sans risque d'erreur ni de biais, l'évolution de la silhouette.

J'ai donc mis au point en 1998 la morpho-nutrition, qui permet de visualiser par une figure très simple l'état initial de la silhouette, puis d'apprécier de façon très précise la bonne démarche de chaque sujet dans son suivi, aussi bien que ses erreurs éventuelles, si petites soient-elles.

Son principal outil est l'évaluation morphologique qui va se traduire par un morphotype. L'examen clinique prime sur l'interrogatoire, et la correction des erreurs alimentaires repose sur les anomalies de volume plus que sur celles de poids.

Comme je vous l'ai déjà expliqué, ce fameux poids dont les diététiciens nous rebattent les oreilles ne fait plus partie que des paramètres variables d'évaluation : **tour de poitrine, tour de taille, tour de hanches, poids,** auxquels s'ajoutent chez l'adulte deux paramètres fixes, la **hauteur**, et la **largeur du poignet**, et, chez l'enfant, un paramètre temporaire, la **croissance,** celui-ci venant prendre le pas sur tous les autres en faisant varier la hauteur.

Cette méthode permet ainsi, d'un examen à l'autre, d'évaluer en toute objectivité l'adaptation du patient à sa rééducation alimentaire ou ses éventuelles erreurs.

L'ÉVALUATION MORPHOLOGIQUE

C'est le sésame permettant d'apprécier l'évolution d'un corps vers la minceur. On évalue, grâce au tracé du morphotype, toutes les erreurs qu'on a pu commettre avant de venir consulter, puis, sur les morphotypes suivants, toutes celles qu'on a encore faites entre deux mensurations. Ce morphotype, technique d'examen clinique très précise matérialisée par un dessin sur une feuille quadrillée (dont j'ai effectué la mise au point depuis 1998), permet en effet d'objectiver les habitudes alimentaires, bonnes ou mauvaises, de chaque individu.

Ce schéma, très simple et très facile à tracer si on sait en définir correctement les paramètres, décèlera impitoyablement, quand on l'aura dessiné, toutes les erreurs qu'on a pu faire avant de venir consulter, celles faites depuis le précédent examen et toutes celles qu'on a encore faites entre deux mensurations.

Je réserve bien entendu la maîtrise de cette technique, dont j'ai déposé le protocole à l'INPI, à tous les élèves assistant à mes cours au sein de l'université de Bourgogne, ainsi qu'aux médecins et aux professionnels de santé venant effectuer des stages en ma compagnie et assister à mes consultations de chrono et de morpho-nutrition.

Pour chaque personne venant nous consulter, notre tâche est double :

– reconstruire l'architecture corporelle en rendant à chacun des formes satisfaisantes ;

– dans le même temps, améliorer le fonctionnement des organes pour aboutir à un état d'équilibre psychique et physique aussi stable que possible.

On m'a dit une fois très gentiment que nous étions des « architectes du corps »... C'est un charmant hommage à nos connaissances en morpho-nutrition.

■ *Les paramètres de l'évaluation morphologique*

L'évaluation morphologique comprend 6 paramètres :

– le **poids** ;

– le **tour de poitrine** ;

– le **tour de taille** ;

– le **tour de hanches** ;

– la **largeur du poignet ;**

– la **hauteur**.

Largeur du poignet et hauteur de l'individu permettront de calculer son poids idéal et de définir les valeurs de son morphotype idéal, représenté par deux rectangles superposés dont les trois petits côtés représentent, de haut en bas : tour de poitrine, tour de taille et tour de hanches.

Vous avez, sur les schémas ci-contre, un exemple d'évaluation de la silhouette quand on suit correctement la chrono-nutrition. Chaque silhouette objective de façon précise le suivi du programme. Ainsi, la silhouette n° 3 montre que le sujet, peut-être trop désireux de parvenir à une silhouette parfaite, n'a pas mangé suffisamment de viande !

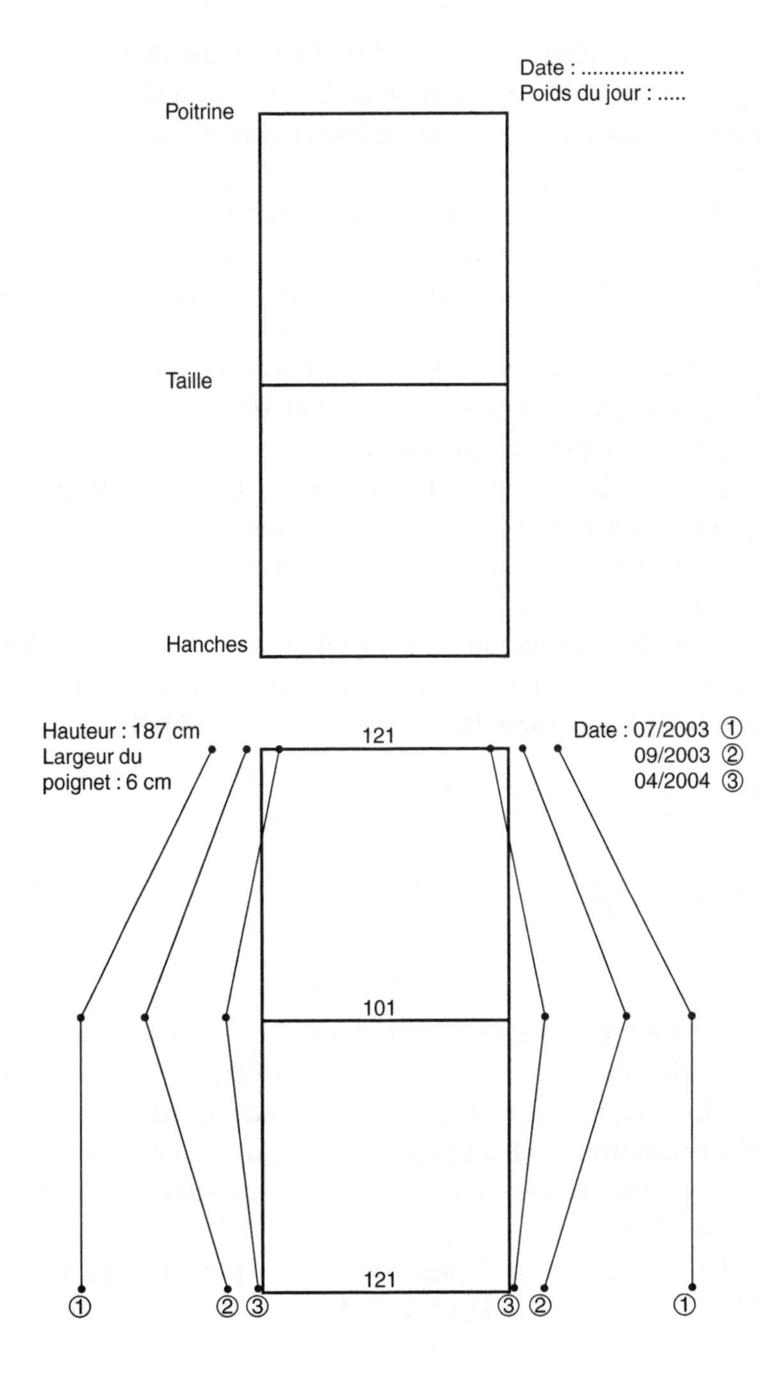
Date : ....
Poids du jour : .....
Poitrine
Taille
Hanches
Hauteur : 187 cm
Largeur du
poignet : 6 cm
121
101
121
Date : 07/2003 ①
09/2003 ②
04/2004 ③
① ② ③ ③ ② ①

Il est en effet évident qu'un Turc ayant des poignets épais comme des pains de deux livres sera beaucoup plus lourd qu'un Indonésien de même hauteur, mais nanti de poignets minces comme des flûtes !

Il faut donc respecter notre morphologie personnelle sans chercher à peser tous le même poids, ce qu'objectivent de façon très claire les paramètres de nos morphotypes personnels calculés.

Soyons chacun nous-mêmes, respectons notre morphologie et n'ayons donc plus la hantise de notre poids, mais la préoccupation de nos formes.

Le morphotype mesuré de votre silhouette indiquera quelles sont vos habitudes alimentaires grâce aux différences en plus ou en moins constatées par rapport à votre morphotype calculé.

N'oubliez jamais qu'on regarde comment vous êtes fait et non pas combien vous pesez : **sur votre front il n'est pas écrit kilos, mais sur votre corps... centimètres.**

■ *Méthodologie*

Ce sont les critères morphologiques et non le poids qui permettront à un morpho-nutritionniste de définir les erreurs alimentaires d'un patient, **sans avoir recours à l'interrogatoire**, et de juger d'un examen sur l'autre des corrections de celles-ci **grâce à l'évaluation morphologique clinique.**

On a cité plus haut les critères morphologiques variables (tour de poitrine, tour de taille, tour de hanches) et les critères morphologiques stables chez l'adulte (largeur du poignet, hauteur). Il faut cependant noter que la croissance chez l'enfant fait entrer la hauteur dans les paramètres variables mais que la sénescence ne doit pas faire entrer en ligne de compte le tassement de la silhouette.

C'est donc la silhouette qui va permettre l'évaluation initiale des erreurs alimentaires, et son évolution permettra d'apprécier en toute objectivité dans quelle mesure le patient a correctement suivi les conseils du nutritionniste.

L'examen clinique initial sera obligatoirement complété par un bilan biologique pour rechercher un facteur génétique causal ou aggravant des anomalies morphologiques constatées, facteurs dont les plus fréquents sont :

- **diabète** ;
- **hypercholestérolémie** ;
- **hypothyroïdie** ;
- **insuffisance hypophysaire**.

C'est seulement s'il en existe un qu'il faudra procéder à des restrictions alimentaires précises qui seront définitives si le facteur est causal, temporaires s'il est seulement aggravant. Dans ce cas, seul un médecin peut prescrire un traitement. L'idéal sera bien sûr qu'il suive notre méthode, mais, quoi qu'il en soit, demander conseil à son médecin traitant est toujours une sage précaution (voir chapitre 7 « Les troubles du métabolisme », p. 229.)

■ *Prenez vos mesures*

Pour un morpho-nutritionniste expérimenté, un regard porté avec attention sur un visage va lui suffire à déterminer avec une précision que d'aucuns jugeront diabolique les principales habitudes, et notamment les erreurs alimentaires.

Des joues trop rondes ou trop creuses, des yeux enfoncés ou ressortis, des pommettes plates ou accentuées, un visage émacié ou joufflu, la coloration et la qualité de la peau, vont permettre de définir au premier coup d'œil le schéma nutritionnel de la personne examinée.

Il faudra, bien entendu, compléter par les mensurations du corps, qui s'effectueront dans la tenue la plus légère possible.

L'examen est très rapide, le visage et les mains ayant déjà permis d'évaluer la qualité du tissu cutané et l'excès ou le manque des réserves adipeuses sous-cutanées.

Vos formes actuelles

– Tour de poitrine

On va mesurer la poitrine en passant le mètre de couturière juste sur la pointe des seins, le soutien-gorge des femmes permettant de définir un critère stable quelle que soit la forme naturelle de la poitrine quand elle est libérée.

– Tour de taille

La taille se mesure à sa partie la plus fine, sans rentrer le ventre s'il vous plaît, et non pas au niveau du nombril, dont la hauteur est variable suivant les individus.

– Tour de hanches

Les hanches se mesurent en passant par le plus dodu des fesses.

Attention ! Le mètre doit être parfaitement horizontal à chaque mensuration sous peine de grosses différences qui fausseraient l'évaluation des changements de silhouette entre deux vérifications. Il est d'ailleurs souhaitable de ne pas se mesurer soi-même : n'importe quelle bonne couturière vous dira que c'est le meilleur moyen de rater une robe.

Dernière précaution importante : ne pas serrer le mètre, mais le poser sur la peau en résistant à la tentation de trouver des résultats trop consolateurs ou encourageants. Cela rendrait à l'évidence impossible tout contrôle correct de la gestion des repas et ne pourrait à terme qu'aboutir à de grosses déceptions.

– Largeur du poignet

On complétera le premier examen par l'appréciation de la largeur du poignet. Le poignet est en effet ovale (on ne peut pas en mesurer le tour puis diviser par le nombre π) et comporte anatomiquement une largeur et une épaisseur. C'est sur la largeur qu'on se base pour mesurer ce paramètre, mesurée sur l'extrémité du radius et du cubitus, les deux os qui saillent à l'extérieur et à l'intérieur de celui-ci, de préférence à gauche pour un droitier et à droite pour un gaucher.

Il est indispensable pour cela d'utiliser un pied à coulisse (voir p. 54) afin d'obtenir une mesure très précise car une différence de 1 mm de largeur correspond à un écart de 400 g pour le poids et de 0,4 cm pour la silhouette. On trouve cet indispensable outil de mesure dans tout bon magasin de bricolage, mais vous n'aurez pas besoin de l'acheter ni de le voler, contentez-vous de l'utiliser sur place !

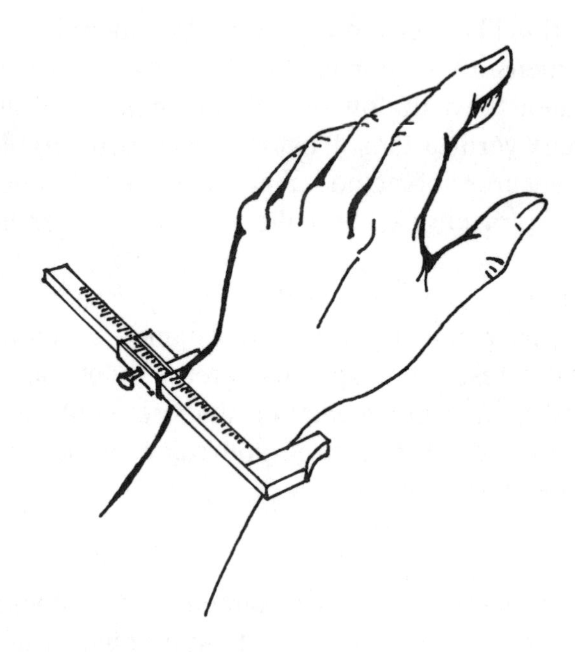

Quand on suit cette méthode seul(e), il est préférable de se peser au même moment de la journée, dans la même tenue, l'idéal étant une fois par semaine, le même jour, au lever, nu(e), après avoir fait pipi et avant de prendre son petit déjeuner.

Comme je vous l'ai dit, il n'est, par contre, pas souhaitable de se mesurer soi-même, cela étant source d'erreur par impossibilité de placer correctement le mètre de couturière, dont on confiera la manipulation à quelqu'un d'autre.

À partir de cela, nous allons pouvoir définir la technique précise d'évaluation de votre corps. Celle-ci vous permettra de savoir :

– les formes auxquelles vous pouvez prétendre ;

– votre silhouette de départ et ses différences par rapport à la « silhouette souhaitable » obtenue grâce à notre chrono-nutrition ;

– et surtout les erreurs nutritionnelles que vous commettez et dont il faudra si possible vous débarrasser.

Vos formes souhaitables

Nous avons défini 6 paramètres chez l'adulte :

– 4 variables : tour de poitrine, tour de taille, tour de hanches, poids ;
– 2 fixes : hauteur, largeur du poignet.

Ce sont ces paramètres qui vont déterminer la silhouette suivant les variations par rapport aux valeurs de référence, servant de bases de calcul, que vous pouvez lire dans le tableau *Valeurs de référence* (ci-dessous).

VALEURS DE RÉFÉRENCE **servant de base de calcul**				
Paramètres	**FEMME**	**vos mesures**	**HOMME**	**vos mesures**
Hauteur	170 cm		170 cm	
Poignet largeur	6 cm		7 cm	
Poids	60 kg		70 kg	
Tour de poitrine	100 cm		100 cm	
Tour de taille	70 cm		80 cm	
Tour de hanches	100 cm		100 cm	

On notera que les 10 kg d'écart entre homme et femme correspondent à 10 cm de taille en plus, la conformation masculine étant beaucoup plus massive que la silhouette féminine pour une ossature moyenne dans les deux cas.

Dans les colonnes FEMME et HOMME, chacune des valeurs de référence va varier en fonction de la hauteur de l'individu.

On va donc pouvoir définir une silhouette précise en fonction de la hauteur de chacun.

Mais, pour chaque hauteur, le volume de l'ossature varie suivant les individus de chaque sexe, ce que nous avons évalué par la mesure de la largeur du poignet.

Or à chaque centimètre de différence correspond une taille de ceinture. Sachant qu'une taille de ceinture représente 4 cm en habillement, nous avons pu définir les variations de votre silhouette et de votre poids type : chaque variation de 1 unité de votre poignet fera donc varier de 4 unités tous vos paramètres de poids et de volume.

Pour définir votre silhouette et votre poids **souhaitables**, il faut procéder en deux étapes :

1. D'abord définir votre silhouette et votre poids « de référence » en fonction de votre hauteur et par rapport à la hauteur du sujet type servant de base de calcul.

Pour cela, remplissez le tableau n° 1 (pages 57-58) correspondant à votre sexe. Attention, le résultat obtenu dans ce tableau n° 1 ne donne pas vos valeurs souhaitables : il donne simplement un paramètre appelé **vos variables de calcul selon votre hauteur** qui va vous permettre de calculer vos valeurs souhaitables.

2. Reportez vos variables de calcul dans la première colonne du tableau n° 2 (pages 57-58) correspondant à votre sexe, comme indiqué.

Ensuite, il ne vous reste plus qu'à calculer **vos valeurs souhaitables, selon votre hauteur et votre ossature** (largeur de votre poignet). Ce sont ces valeurs strictement personnelles, puisque tenant compte à la fois de votre hauteur et de la largeur de votre poignet, qui vous permettront de connaître les modifications à apporter à votre alimentation pour rétablir l'équilibre.

TABLEAU N° 1 FEMMES		
PARAMÈTRES	BASES DE CALCUL FEMMES	VOS VARIABLES DE CALCUL SELON VOTRE HAUTEUR
Hauteur	170	**H** = votre hauteur **X** = H – 170 =
Poignet (largeur)	6	**P(c)** = 6 + (X : 10) =
Tour de poitrine	100	**TP(c)** = 100 + (X) =
Tour de taille	70	**TT(c)** = 70 + (X) =
Tour de hanches	100	**TH(c)** = 100 + (X) =
Poids	60	**Pds(c)** = 60 + (X) =

TABLEAU N° 2 FEMMES		
PARAMÈTRES	**Reportez ici vos variables selon votre hauteur** (obtenues dans le tableau n° 1)	VOS VALEURS SOUHAITABLES **selon votre hauteur et votre ossature**
Hauteur		**H** (votre hauteur) =
Poignet (largeur)	**P(c)** =	Calculez votre **variable poignet Z** **P** (votre poignet) = **Y** = P – P(c) = **Z** = Y x 4 =
Tour de poitrine	**TP(c)** =	**TPS** = TP(c) + (Z) =
Tour de taille	**TT(c)** =	**TTS** = TT(c) + (Z) =
Tour de hanches	**TH(c)** =	**THS** = TH(c) + (Z) =
Poids	**Pds(c)** =	**PdsS** = Pds(c) + (Z) =

TABLEAU N° 1 HOMMES		
PARAMÈTRES	BASES DE CALCUL HOMMES	VOS VARIABLES DE CALCUL SELON VOTRE HAUTEUR
Hauteur	170	**H** = votre hauteur **X** = H – 170 =
Poignet (largeur)	7	**P(c)** = 7 + (X : 10) =
Tour de poitrine	100	**TP(c)** = 100 + (X) =
Tour de taille	80	**TT(c)** = 80 + (X) =
Tour de hanches	100	**TH(c)** = 100 + (X) =
Poids	70	**Pds(c)** = 70 + (X) =

TABLEAU N° 2 HOMMES		
PARAMÈTRES	**Reportez ici vos variables selon votre hauteur** (obtenues dans le tableau n° 1)	VOS VALEURS SOUHAITABLES **selon votre hauteur et votre ossature**
Hauteur		**H** (votre hauteur) =
Poignet (largeur)	**P(c)** =	Calculez votre **variable poignet Z** **P** (votre poignet) = **Y** = P – P(c) = **Z** = Y x 4 =
Tour de poitrine	**TP(c)** =	**TPS** = TP(c) + (Z) =
Tour de taille	**TT(c)** =	**TTS** = TT(c) + (Z) =
Tour de hanches	**TH(c)** =	**THS** = TH(c) + (Z) =
Poids	**Pds(c)** =	**PdsS** = Pds(c) + (Z) =

Vous pourrez ainsi déterminer exactement la silhouette et le poids qui vous récompenseront d'avoir respecté les principes de la chrono-nutrition.

Pour cela, il vous suffira de tracer soigneusement votre

morphotype mesuré et de le comparer avec votre morphotype idéal calculé.

Vous pourrez ensuite vous référer aux schémas des grandes familles de morphotypes, pour y trouver avec plus ou moins de bonheur, suivant l'étendue de vos erreurs, celui auquel vous correspondez.

Bon, je sais, pour certains d'entre vous, la prise de conscience risque d'être pénible. Mais ne vous désolez pas si votre silhouette actuelle n'est pas au top de vos espérances, car vous pouvez tous et toutes la maîtriser si vous consentez à suivre très exactement mes conseils.

Je ne le rappellerai jamais assez : il est absolument nécessaire de compléter ce bilan clinique par un bilan biologique, lequel va explorer l'ensemble de vos organes concernés directement ou indirectement par la nutrition. Il est impératif, si vous voulez gérer en toute sécurité votre nutrition, de tenir compte des particularités métaboliques de votre organisme, et vous ne pourrez connaître celles-ci qu'à l'aide d'un bilan biologique précis. D'autant plus que l'évolution du bilan biologique, en bien ou en mal, permettra de confirmer sans appel votre bonne ou votre mauvaise conduite entre deux contrôles.

De vos habitudes dépendent vos formes :

« Dis-moi comment tu manges, je te dirai comment tu es fait ! » qu'on traduira en morpho-nutrition par : montre-moi tes formes, je te dirai comment tu manges !

En effet, à chaque schéma nutritionnel correspond une silhouette qu'on peut définir de façon très simple suivant les excès, les carences en tel ou tel aliment.

■ *Définissez votre morphotype*

À chaque syndrome traduisant très précisément des habitudes alimentaires correspond un morphotype. On peut définir 5 morphotypes principaux, liés à 5 syndromes :

- **morphotype sablier** ;
- **morphotype Chéops** ;
- **morphotype monastique** ;
- **morphotype Schwarzy** ;
- **morphotype tronc d'arbre**.

Qu'est-ce qu'un syndrome ?

Tout simplement un ensemble de faits aboutissant à une situation donnée. On citera, par exemple, en médecine des syndromes allergiques, infectieux, occlusifs, inflammatoires...
À chacun des 5 syndromes cliniques correspondent très précisément des habitudes alimentaires dont la modification entraînera une modification correspondante de la silhouette, ce qui veut dire qu'un morpho-nutritionniste, si vous l'écoutez, vous aidera à retrouver exactement la silhouette correspondant à vos critères morphologiques de stature et de charpente osseuse...
En cessant d'abuser de tel ou tel aliment, votre corps va cesser de stocker celui-ci. Mieux encore, instinctivement et sans vous en rendre compte, votre corps corrigera lui-même ces excès en déstockant ce qu'il avait accumulé. Il vous suffira donc de reprendre une alimentation bien équilibrée pour que votre corps retrouve, lui aussi, des formes bien équilibrées.

Le morphotype sablier

Sa définition est aussi simple qu'évocatrice : tout dans les fesses, tout dans les seins, et rien dans la taille.

Elle correspond à une nutrition essentiellement composée de sucre et de fruits, l'apport important de glucose et de fructose donnant aux seins le volume que la poitrine aura perdu... Mais attention, des seins trop importants et mal soutenus vieillissent plus vite et risquent de s'affaisser prématurément, car il ne faut pas confondre longueur du soutien-gorge et profondeur des bonnets.

L'une et l'autre mensuration ne correspondent pas du tout aux mêmes aliments : dans la poitrine (ou pectoraux), les protéines, dans les seins, les sucres.

Attention cependant au piège des mangeurs de gras, qui mettent du volume dans leur dos et pas assez de protéines dans leurs pectoraux. Dans ce cas, la silhouette sera massive et le dos épais, alors que dans les deux autres, la silhouette sera élégante et bien cambrée.

Le morphotype Chéops

C'est la silhouette en pyramide : tout est en bas, il n'y a plus rien en haut.

Elle est le résultat d'une nutrition excessivement végétarienne dont le maximum est le végétalisme complet.

La maigreur de la poitrine correspond à une carence en protéines animales et sera à la mesure de celle-ci.

Le morphotype monastique

C'est la silhouette en tonneau : gros ventre, jambes fines et bras minces.

Nos petits moines ne sont pas dodus par excès de gourmandise... en fait la nourriture monastique est trop riche en féculents, l'élevage de bovins n'y étant pas pratiqué faute de moyens et faute de place.

Le morphotype Schwarzy

En pyramide inversée. C'est la silhouette des gros mangeurs de protéines. Ils sont athlétiques et parfois anguleux. Torse massif, comme le célèbre Schwarzenegger, contrastant avec une taille fine et des hanches minces, l'ensemble réalisant une pyramide inversée.

Le morphotype tronc d'arbre

C'est la silhouette la plus massive. C'est celle de tous les excès, de ceux qui mangent de tout, beaucoup, et de tout à la fois.

■ *Application*

On pourra résumer ainsi :

– trop de légumes donnent trop de hanches et de cuisses ;

– trop de sucre donne trop de seins et de fesses ;

– trop de féculents donnent trop de ventre ;

– beaucoup de viande donne beaucoup de poitrine ;

– trop de gâteaux alliant farine, sucre et gras donnent du ventre et de la poitrine.

Les grignotages donneront, selon ce qu'ils contiennent, du ventre, des hanches, de la poitrine... ou les trois.

L'association de plats gras et de desserts trop sucrés sera génératrice de trop de poitrine (seins), trop de taille et de trop de hanches (ventre), réalisant ce que je me suis amusé à appeler le syndrome antillo-normand ou choucroute-Kouglof, responsable du morphotype en tronc d'arbre ! La pire de toutes les silhouettes dans la mesure où elle risque de s'accompagner plus tard d'anomalies biologiques : diabète et hypercholestérolémie dits de surcharge, c'est-à-dire seulement liés aux erreurs nutritionnelles et à l'excès de poids.

À l'inverse, le refus de viande donnera une silhouette décharnée, la rançon du végétalisme étant l'anémie, se traduisant par des problèmes de fatigabilité, de fragilisation des cheveux, d'essoufflement, de morosité, de manque de confiance en soi, voire de dépression chronique, et rhinopharyngites à répétition chez les jeunes enfants.

Grâce à ma méthode de chrono-nutrition, chacun pourra reprendre progressivement une alimentation normale en respectant des quantités, des proportions et des assemblages d'aliments définis par le chrono-morpho-nutritionniste. Le simple fait de retrouver une alimentation équilibrée permettra de corriger sans souffrir les anomalies constatées.

À partir de ces notions de base, les nutritionnistes et les chercheurs de l'IREN ont défini les critères de nutrition et d'évaluation morphologique permettant de vous aider à retrouver votre équilibre.

PRINCIPES DE LA CHRONO-NUTRITION®

■ *Qu'est-ce que la chrono-nutrition*

La chrono-nutrition est l'art et la manière de manger de tous les aliments, aux moments de la journée où ils seront les plus utiles, afin de satisfaire chaque jour les besoins en énergie de notre organisme, sans que les aliments et les graisses ne soient pour autant stockés dans certaines parties du corps, créant ainsi des rondeurs malvenues.

Il s'agira donc de répartir de manière raisonnée les aliments et les proportions en fonction du moment de la journée où ils seront absorbés, de votre activité, de votre taille et de l'intensité de votre appétit.

La chrono-nutrition (ou alimentation naturelle) doit donner priorité à l'**instinct,** ce qui exclut *a fortiori* toute anomalie du schéma nutritionnel, qu'elle soit volontaire ou non.

Elle s'évalue en **qualité** et en **quantité** qui dépendent de trois paramètres principaux – **morphologie, milieu, activité** –, auxquels s'ajoutent les notions de **croissance** et de **sénescence.**

L'instinct

C'est l'obéissance à l'appétit et la résistance aux pulsions, ce qui implique de savoir calmer sa faim sans suivre ses envies mais ses besoins.

Le modèle animal le plus évident est celui du comportement nutritionnel de l'ours grizzli qui, suivant les saisons, varie son alimentation en prévision des besoins futurs.

Le problème actuel de l'être humain est d'avoir considérablement modifié son statut inné de carnivore-fructivore en omnivore à prédominance végétarienne. Cette modification profonde liée à l'apparition des cultures était initialement surtout destinée à lutter contre la famine. Mais, au lieu de disparaître en même temps que celle-ci, elle s'est dévoyée au cours des dernières décennies en moyen de lutter contre l'excès de poids.

En effet, l'évolution sociale a compliqué, au cours des siècles, le processus de faim naturelle. Civilisation oblige, sur celui-ci sont venues se greffer de multiples pulsions, hélas trop souvent aisées à satisfaire grâce à la facilité d'accès aux aliments les plus variés.

Victime innocente ou consentante de la civilisation avec son cortège de perversités, l'être humain s'est inventé des systèmes nutritionnels correspondant à ses goûts et non plus à ses besoins, rejetant ainsi la programmation naturelle de son alimentation.

La qualité

Elle s'exprime par la composition et la nature des aliments, faisant intervenir la notion d'assemblage entre protides, lipides et glucides dont l'infinie variété va permettre d'établir la sensation de goût... ou de dégoût.

Ce sont les variations d'activité dans la journée qui devraient faire d'instinct varier les assemblages. C'est là que malheureusement, dans la société moderne, les obligations sociales et professionnelles s'opposent à cet instinct et induisent des erreurs nutritionnelles plus ou moins importantes.

La quantité

Elle doit, comme la qualité, correspondre très précisément à l'activité de la journée. Il faut donc qu'elle augmente en fonction de l'énergie dépensée mais que, surtout, elle soit prise en compte avant les efforts et au cours de ceux-ci, jamais après.

Pour une même activité, elle va dépendre de multiples paramètres suivant la morphologie de l'être humain et le milieu (région, latitude, confort) dans lequel il vit.

Le milieu

C'est lui qui, apparemment, risque de poser le plus de problèmes aux nutritionnistes car il comporte une infinie variété de paramètres : nous avons cité plus haut la latitude, la région et le confort, ceux-ci se subdivisant eux-mêmes en multiples cas de figure.

En fait, c'est là qu'il conviendra de simplifier le problème en s'appliquant à faire réapparaître la nutrition instinctive, celle qui fait référence à l'appétit et non aux envies.

■ *La morphologie*

Elle se définit en fonction des paramètres de volume et de hauteur qui vont être déterminants, tant pour évaluer des erreurs alimentaires que pour en suivre la correction.

Elle est le schéma de référence de chaque individu examiné. Elle permettra de déterminer si une correction d'anomalies existantes est nécessaire et, dans ce cas, quelles sont les modifications qualitatives et quantitatives qu'il conviendra d'apporter pour restaurer le parfait équilibre fonctionnel et organique du sujet.

■ *L'activité*

Son évaluation en intensité et en durée va permettre de définir les besoins nutritionnels.

Sa nature physique ou intellectuelle va déterminer la qualité des aliments nécessaires.

La croissance

Elle majore les besoins alimentaires et en modifie les proportions qualitatives pour permettre l'anabolisme (reconstruction des cellules).

Elle implique de tenir compte du rapport poids/hauteur et non plus de ces deux paramètres séparés. En effet, une prise de poids discrète accompagnant une croissance importante se traduira par un amincissement.

Le facteur de croissance est donc un paramètre clé autour duquel viendront se greffer tous les autres, la synthèse de l'ensemble aboutissant à l'harmonie des formes et à la normalisation du bilan biologique.

La sénescence

Processus inéluctable, elle nécessite pour être ralentie, sinon stoppée, la modification progressive de l'alimentation afin de lutter contre l'accélération du catabolisme (destruction des cellules).

Il faudra donc augmenter les apports en protéines et en lipides pour permettre à l'organisme de ne pas s'épuiser en prélevant dans ses réserves... Reste à trouver la clé de l'anabolisme (reconstruction des cellules).

■ *L'évaluation globale*

C'est l'observation de l'ensemble de ces paramètres qui permettra de définir, pour chaque être humain, le meilleur comportement alimentaire, et c'est là qu'interviennent les techniques de chrono-nutrition.

En soi, dire que l'alimentation doit respecter la chronobiologie naturelle, c'est déjà ouvrir le débat en récusant tout système n'acceptant pas le statut inné de l'être humain.

Carnivore il a été créé, carnivore il doit rester, sauf si un trouble organique grave provoque une intolérance à certains aliments, ce qui justifierait alors de conseiller une alimentation hors nature.

■ *La phase de croisière*

Après la phase d'initiation, gérée par la chrono-nutrition dans son expression la plus simple et la plus facile à mettre en pratique, on passe à la phase de croisière où on accède aux chrono-repas grâce au dédoublement de certains aliments, ce qui permet d'avoir un repas composé de deux plats, et non plus un plat unique.

Mais attention, les chrono-repas n'étant pas mono-alimentaires, ils demandent plus d'efforts à l'organisme et il est donc plus difficile, voire même impossible, de mincir en les adoptant quotidiennement. Par contre, ils sont très bénéfiques pour les personnes anorexiques et seront également les bienvenus lorsque la stabilisation du poids et du volume seront acquis.

Rappel : la phase d'initiation à la chrono-nutrition dure en moyenne environ 1 an. Cependant, certaines personnes, très attentives à la méthode, s'insèrent parfois beaucoup plus rapidement dans les automatismes nutritionnels à respecter.

De la chrono-nutrition à la morpho-nutrition

Nos formes sont le reflet fidèle de nos habitudes alimentaires. Les différents aliments – viande, poisson, œufs, féculents, salades, sucres ou autres –, lorsqu'ils sont consommés au mauvais moment de la journée, choisissent leur lieu de stockage dans notre corps.

La morpho-nutrition est l'art et la manière de maîtriser parfaitement sa silhouette en respectant les règles de la chrono-nutrition. Elle en est l'extrapolation et prendra sa suite pour ajouter la beauté au bien-être.

Rien de plus facile que de jouer sur les quantités ingérées pour diminuer ou augmenter les volumes de son corps, afin d'atteindre ce fameux morphotype idéal dont je parle dans *Mincir en beauté,* en évitant les pièges d'une nourriture mal équilibrée dont les excès ou les carences conduiront à des modifications plus ou moins esthétiques de la silhouette.

CHRONO-BIOLOGIE DE LA NUTRITION

■ *Retrouvons le schéma ancestral*

Pour parvenir à équilibrer son alimentation au cours de la journée, il suffit de suivre les rythmes naturels du corps.

Tout comme l'évaluation morphologique est l'appréciation clinique d'une morphologie normale ou pathologique, la chrono-nutrition est l'application à l'être humain moderne des critères de nutrition millénaires que la civilisation lui a fait perdre. En cela, elle s'adapte très précisément à la chrono-biologie du corps.

L'être humain primitif était carnivore-fructivore et suivait, comme toute classe animale de ce type, un schéma alimentaire journalier et saisonnier permettant sa survie.

Retrouver ce schéma n'a rien de difficile : il suffit de se pencher sur les ouvrages de zoologie où l'on qualifie d'instinct animal ce qui n'est, en fait, que la programmation voulue par la nature.

Un animal carnivore-fructivore va manger inéluctablement :

- **gras le matin** ;
- **dense le midi** ;
- **sucré l'après-midi**.

Pour plus d'explications, lire le chapitre « Quand la science s'applique au quotidien », p. 331.

Si l'on se réfère aux études des paléontologues, il apparaît que l'être humain primitif, régi par ses pulsions instinctives, suivait pour se nourrir une immuable chronologie quotidienne de la nutrition.

Carnivore-omnivore, cet être primitif était chasseur et cueilleur, conditionné pour :

– boire au lever ;

– chasser et tuer sa proie ;

– manger toujours en premier dans celle-ci les organes riches en graisse (foie, cerveau) et en sucres lents (entrailles remplies de végétaux prédigérés) s'il s'agissait d'herbivores ;

– laisser ensuite la proie se ressuyer (sécher) à l'air, au vent et au soleil, puis manger les muscles riches en protéines ;

– enfin, à la réapparition de l'appétit dans la journée, cueillir fruits, graines ou racines suivant les saisons et l'environnement.

■ *Changement de mode de vie, changement de mode d'alimentation*

Au cours des millénaires, ce schéma alimentaire naturel, simple, s'est progressivement modifié et, surtout, compliqué, car nous sommes passés de l'être primitif à l'*Homo sapiens* actuel, dont les habitudes de vie ont considérablement évolué, dans le sens notamment d'une activité prolongée et plus intense, justifiant l'apparition d'un repas du soir et la modification du repas de l'après-midi.

La longévité de l'être humain s'est aussi fort accrue au cours des siècles malgré une augmentation notable de son activité quotidienne.

En fait, l'amélioration considérable de nos conditions de vie ne nécessite plus d'aussi grosses dépenses d'énergie pour lutter contre le froid, la chaleur et tous les aléas d'un environnement terriblement hostile, mais cette énergie sera dépensée quotidiennement dans les activités plus longues et tout aussi stressantes.

L'homme moderne va donc manger, pour assurer une bonne stabilité à son organisme :

- gras le matin,
- dense le midi,
- sucré l'après-midi,
- léger le soir.

Le résultat de mes premières recherches n'incluait pas le goûter, repas exclu de leur quotidien par la plupart des adultes ; mais il manquait à mon programme un apport en sucres rapides et en gras végétaux, impossible à placer sans risque en accompagnement d'un repas riche en lipides.

Par contre, le comportement de nombreuses personnes de tous âges en fin d'après-midi révélait des grignotages, attribués à la fatigue, ou tout simplement le besoin de faire une pause, et donnait en fait la clé du problème.

En effet, les recherches du professeur Rapin nous ont permis de découvrir que quatre à cinq heures après le repas de midi, quelle que soit son heure, il se produit un pic de cortisol dans le sang, celui-ci induisant une sécrétion d'insuline, génératrice d'une hypoglycémie provoquant à son tour un besoin de sucre.

La solution était facile : mettre à cet instant des sucres rapides et leur adjoindre des gras végétaux pour éviter une sécrétion réflexe trop intense du pancréas endocrine, en obligeant en même temps le pancréas exocrine à secréter. Nous avons donc intercalé, entre midi et soir, un goûter de fruits et de gras végétaux, que, très judicieusement, les parents donnent à leurs enfants, mais que les adultes négligent trop souvent pour eux-mêmes. Le repas du soir, léger, s'ajoutant à ce rythme naturel pour tenir compte d'un allongement parfois important du temps quotidien d'activité que comporte maintenant notre vie et complétant ainsi, par obligation de modernisme, le rythme nutritionnel primitif.

■ *La chrono-biologie de l'être humain actuel*

La chrono-biologie se réfère aux sécrétions enzymatiques et hormonales de l'organisme humain dont les variations ou les apparitions sont inéluctablement réglées par des stimuli horaires d'activité, de lumière ou de nuit ou de sommeil, de froid ou de chaud, de faim ou de satiété.

Les scientifiques ont ainsi déterminé avec précision certains stimuli fondamentaux chez l'être humain : lever du soleil, coucher du soleil, fatigue, soif, faim et, récemment, des stimuli liés à la mise en route ou à la fin d'activité des différents organes digestifs.

À chaque stimulus correspond le déclenchement des sécrétions enzymatiques en parfaite harmonie avec les besoins énergétiques et caloriques de l'être humain qui, eux-mêmes, correspondent aux besoins de fonctionnement de son organisme, selon le schéma suivant :

Le matin

– Forte sécrétion de lipases afin de métaboliser les graisses qui seront utilisées pendant la période de sommeil pour la fabrication des parois cellulaires.

– Sécrétion des protéases pour métaboliser les protéines permettant, pendant le sommeil, le processus de fabrication des contenus cellulaires.

– Ces deux sécrétions étant précédées par la sécrétion d'insuline permettant à la fin du sommeil la mise en route de l'utilisation des sucres lents afin d'assurer progressivement les transferts et, surtout, permettre dès le réveil l'apport d'énergie nécessaire au travail de tous les organes en activité.

Le midi

– Sécrétion des protéases et des amylases.

– Commencement du processus de mise en place des protéines cellulaires.

– Stockage des réserves protéiniques et des globulines de défense.

L'après-midi

Apparition d'un pic insulinique permettant l'utilisation des sucres rapides et semi-rapides pour éviter le déstockage des protéines et compenser la fatigue liée au fonctionnement des organes.

Le soir

Il n'y a pratiquement plus de sécrétions digestives, ce qui ralentit considérablement l'assimilation des aliments. Et comme on métabolise peu, on va stocker !

Par contre, l'organisme, attaquant sa période de restructuration cellulaire (souvenez-vous : on grandit la nuit !), ne sera plus en mesure de métaboliser des apports nutritionnels trop importants aussi bien en qualité qu'en quantité. Conséquence fâcheuse pour la silhouette, ce qu'on ne métabolise pas va être stocké !

■ *Se fier à notre instinct*

Il existe donc un réflexe pavlovien de sécrétion donnant à penser que, selon le moment de l'activité quotidienne, la faim ne déclenche pas les mêmes sécrétions, l'organisme n'ayant pas les mêmes besoins suivant le moment de la journée. Cela signifie donc que, à tel moment de son activité, l'être humain a besoin de telle nourriture et sécrète l'enzyme correspondante pour l'utiliser.

La civilisation ayant étouffé notre instinct et fait passer l'envie avant le besoin, l'agréable avant le nécessaire, les sécrétions physiologiques ne correspondent plus obligatoirement à l'aliment ingéré. Celui-ci ne peut pas être utilisé et est donc inutilement stocké.

Comme s'il existait une punition naturelle, le stimulus n'ayant pas suscité l'ingestion de l'aliment nécessaire, il se produit une sensation plus ou moins aiguë d'insatisfaction qui déclenche deux styles de réaction suivant l'individu :

– une **boulimie de soulagement**, responsable d'une prise de poids parfois spectaculaire ;

– ou une **résistance à la sensation de faim**, génératrice rapidement d'un état latent ou patent de dépression.

On a, dans le premier cas, l'explication de l'échec quasi constant des régimes carentiels et, dans le deuxième, l'explication des fréquents états dépressifs constatés lors de ces mêmes régimes, la dépression étant d'autant plus grave qu'ils auront été bien suivis.

La réorganisation alimentaire par la chrono-nutrition apparaît sans contestation possible le plus sûr moyen de retrouver son équilibre physique et psychique sans risque, puisqu'elle est l'expression logique de la chronobiologie nutritionnelle de l'être humain.

Cependant, la complexité des modes d'existence et d'activité de chacun dans la société actuelle rend la tâche du thérapeute délicate. Pour chaque sujet, sur un canevas volontairement et nécessairement identique pour tous, viennent se greffer mille et une façons d'équilibrer son corps sans risquer de dérégler son esprit.

Une fois accompli le travail souvent délicat et parfois difficile de réorganisation alimentaire, il ne restera plus ensuite qu'à assurer la gestion permanente de cette chrono-nutrition. On fera pour cela appel à la morpho-nutrition en traçant le morphotype initial puis les morphotypes, qui permettront d'évaluer de façon précise l'évolution de la silhouette en même temps que celle du poids.

En effet, la comparaison des morphotypes mesurés successivement ôte pratiquement toute source d'erreurs de la part du chrono-nutritionniste et permet en même temps à celui-ci de déceler tout dérapage alimentaire, même soigneusement caché par la personne qu'il suit.

Voilà pourquoi cet examen clinique est la référence en nutrition.

■ *La confirmation scientifique*

Cliniquement tout convergeait, depuis 1987, à me convaincre de la nécessité d'une rééducation alimentaire naturelle, et les résultats de ses principes d'application en pratique nutritionnelle me confirmaient dans son efficacité. Restait à trouver une validation scientifique de faits cliniques incontestables.

Ma rencontre, en 1994, sur le terrain de la nutrition avec le professeur Jean-Robert Rapin, m'a permis de découvrir avec le plus grand intérêt la convergence entre mes observations cliniques et ses nombreux travaux scientifiques dont les conclusions l'avaient amené à introduire dans le domaine de la nutrition la notion de chrono-biologie. Celle-ci correspondait en effet presque en miroir à la chronologie nutritionnelle résultant de mes propres réflexions...

J'avais trouvé le comment et Jean-Robert Rapin le pourquoi, pragmatique Edison aidé par le savant Ampère.

Les travaux du professeur Rapin ayant validé mes conclusions, il fallait achever le travail en apportant un schéma d'alimentation pouvant s'adapter utilement à toutes les circonstances et tous les aléas de la vie quotidienne.

Je ne vous cacherai pas combien me furent et demeurent précieuses l'aide scientifique et plus encore la fidèle amitié de Jean-Robert Rapin. Rigueur scientifique et conseils amicaux sont ainsi les incontournables principes du professeur dont l'aide m'a permis de parfaire l'application de la chrono-nutrition et d'améliorer celle-ci jusqu'à pouvoir mettre en place l'alimentation naturelle.

Cette chrono-biologie avait, de plus, l'immense avantage d'être validée par les résultats des recherches scientifiques du professeur Rapin. L'empirisme de mon raisonnement fondé sur l'observation, qui m'avait attiré parfois les sarcasmes de confrères pas toujours bien intentionnés, se trouvait ainsi confirmé de façon incontestable.

3

L'application des principes de la chrono-nutrition

Apprendre à s'alimenter en suivant la chrono-nutrition signifie... qu'on va manger de tout, joyeusement, sans restriction d'aucune sorte, à condition que les aliments soient bons, sains, naturels et préparés simplement ; qu'on va réapprendre l'ordre logique des repas et l'utilité des aliments et qu'on va réapprendre à écouter son corps, à lui obéir aussi bien quand il a faim que lorsqu'il est rassasié.

On pourra ainsi, sans souffrir, ne plus céder aux appels de sirènes d'un cerveau (trop ?) civilisé qui console ses peines et combat ses stress en faisant travailler inutilement la bouche et l'estomac du corps qu'il pilote.

J'ai dit qu'on allait **manger utile**, j'ajoute qu'on va **manger agréablement** et qu'on ne va plus jamais manger triste pour maigrir. On va jeter à la poubelle ou offrir à son pire ennemi dans un joli paquet cadeau tous les faux sucres, les faux pains, les allégés, les trafiqués, les light et autres aliments industriels.

On va aller chez le boucher, le charcutier, le boulanger, le crémier, le marchand de légumes, le poissonnier et même chez le pâtissier et le caviste pour préparer de somptueuses fêtes... qu'on aura sagement méritées !

■ *Apprendre à organiser son alimentation quotidienne*

Il s'agit d'une vie parfaitement normale, qu'on va régler à sa convenance.

Il va d'abord falloir organiser son alimentation quotidienne et apprendre à connaître les réponses de son corps aux modifications alimentaires.

Ensuite on pourra, sans risque, broder toutes les fantaisies possibles autour du schéma nutritionnel de base, indispensable tronc commun de toutes les variations suivant les goûts personnels de chacun.

Apprendre à piloter une automobile n'est pas très difficile, mais devenir pilote de *Formule 1* n'est pas donné à tout le monde !

Le but de chacun doit tendre vers une gestion très personnelle de son alimentation, et c'est dans cet esprit que l'institut a délivré tous les mois, pendant des années, à ses adhérents dix nouvelles recettes de cuisine, autant pour les repas du matin et du midi, les goûters et les repas du soir que pour les repas de fêtes. Vous en trouverez plusieurs échantillons p. 279 et vous pourrez surtout en découvrir des centaines dans nos deux livres de recettes dont un exemplaire est offert à chaque nouvel adhérent.

■ *Vaincre la monotonie*

C'est dans le but de guider et de conseiller ceux qui souhaitaient rééquilibrer leur alimentation que j'ai obtenu de mes collègues, en 1997, d'ouvrir l'institut scientifique à la connaissance du public afin d'éviter la dérive progressive et très fréquente vers un système alimentaire rigide et fixé sur très peu d'aliments différents, réflexe provoqué par la crainte de refaire des erreurs inconsciente.

Or c'est là une attitude dangereuse à deux titres :

– le premier est le risque de carence par manque de certains aliments utiles. Souvenez-vous de la dénutrition des gens âgés : dans pratiquement tous les cas, elle est liée à cette fixité des repas dans leurs horaires et dans leur composition ;

– le second est le risque de lassitude et d'abandon d'un mode alimentaire manquant totalement de fantaisie et de charme.

■ *Les limites de la diététique*

Ceci explique d'ailleurs pourquoi la diététique voit rapidement ses limites atteintes. Arrivés à un certain poids qu'on a déterminé à l'avance pour chaque patient sans jamais se soucier de sa silhouette, les malheureux auxquels on a imposé un système d'alimentation, en général fort désagréable, n'ont qu'une hâte : reprendre leur liberté et leurs habitudes alimentaires antérieures.

D'où une rechute parfois spectaculaire, chacun retrouvant alors très rapidement des rondeurs encore plus prononcées que les précédentes, sauf chez quelques sujets héroïques ou têtus pour lesquels une silhouette svelte vaut tous les sacrifices du monde. C'est ainsi que l'on voit à la télévision certaines vedettes de l'audiovisuel et certains présentateurs passer régulièrement du dodu au maigre, du maigre au rondouillard, du bonheur à la tristesse et de la jeunesse à un état de décrépitude inquiétant !

C'est pour vous éviter ce fort désagréable jeu de montagnes russes que nous préconisons, au contraire, un retour aux sources, afin de ne pas vous livrer ainsi au triste sort de ces pauvres gens, dont le seul tort est de suivre des conseils diététiques aussi variables dans le temps que la mode féminine !

■ *Les erreurs du « bien manger »*

On m'a notamment raconté les menus diététiques de certains restaurants d'entreprises tenant le haut du pavé parisien... De quoi vous conduire au suicide collectif ou au meurtre rituel des diététiciens promus maîtres bourreaux de ces modernes chambres de torture.

Je n'avais donc pas été surpris d'entendre, il y a quelques années, au cours d'une réunion entre restaurateurs et scientifiques pour convenir d'un modèle alimentaire français, un professeur de la faculté de médecine déclarer qu'il ne savait pas très bien ce qu'il était censé faire à une telle réunion... et d'ajouter : « Entre votre alimentation pour le plaisir et ma nutrition raisonnable, il y a un monde de différence. Vous ne pouvez pas transcrire ce que j'apprends à mes patients ; quant à moi, je ne puis leur permettre de manger en suivant votre principe de faire passer le plaisir avant le nécessaire ! »

J'avoue que cette vision hospitalo-universitaire de nutrition-punition a profondément choqué le gourmet mince que je suis, car elle implique un concept de nutrition jetant l'anathème sur les restaurants, qui seraient donc des lieux de perdition générateurs d'innombrables obésités.

Loin de nous cette idée du « pour bien maigrir il faut mal manger » : nous avons au contraire depuis mis en place dans l'IREN un service de nutrition appliquée dont la direction initiale confiée à Pierre le Patezour vient d'être transmise à Guylène Neveu-Delabos, mon épouse, auteur de toutes les recettes dont se sont régalés et se régalent encore à l'heure actuelle des milliers de gourmets devenus rapidement des « fans » de sa cuisine. Celle-ci est notamment chargée d'enseigner à ceux qui le voudront qu'on peut devenir mince en apprenant à cuisiner intelligemment, et le rester en mangeant sans régime ni complexes !

■ *Renouons avec les plats « riches »*

L'expérience clinique montre, en effet, que la chrononutrition, loin d'aggraver les déséquilibres nutritionnels comme le font les régimes diététiques, permet au contraire à l'organisme de régulariser ses métabolismes en même temps que s'effectue le retour à la normale de la silhouette.

Dans la mesure où nous proposons une alimentation logique, il est tout simple d'en conclure que l'animal humain, régi par un ordinateur auquel on avait ajouté autant de faux messages que d'erreurs ou d'*a priori* alimentaires, va retrouver une programmation normale de sa physiologie.

N'oubliez pas, je vous l'ai déjà dit, que lorsque vos formes varient, cela ne peut pas être dû à un hasard mais cela répond à une nécessité. On a donc toutes les raisons de craindre qu'une alimentation diététique n'aggrave les distorsions métaboliques au lieu de les atténuer quand on essaie de diminuer artificiellement leur expression biologique.

L'exemple le plus frappant est celui des régimes totalement appauvris en graisses pour réduire les hypercholestérolémies : plus on s'acharne et plus le taux de cholestérol va grimper ou, dans le meilleur des cas, rester stable, au prix d'une discipline nutritionnelle difficilement supportable et au risque dont j'ai déjà parlé d'une dépression.

Mais laissez les médecins que nous sommes débattre entre eux des problèmes techniques de la médecine, et venez sans complexes apprendre avec moi comment mincir et rester mince.

En résumé

Il faut manger les bons aliments, au bon moment, dans la bonne quantité :
– gras le matin ;
– dense le midi ;
– léger l'après-midi ;
– et le soir... ne pas dîner ou dîner léger.

Grâce à ce schéma nutritionnel de base, vous démarrez la journée en offrant à votre corps le taux de lipides nécessaire pour tenir toute la matinée. Le fait de manger dense à midi et sucré au goûter vous permettra de contrôler votre faim en vous empêchant de grignoter à toute heure de l'après-midi. De plus, cela vous évitera de trop manger le soir, erreur très répandue qui conduit forcément à une prise de poids intempestive.

■ *Et à quelle heure ?*

Cela ne doit surtout pas être une question d'heure, mais de moment.

Votre journée se comptera à partir du lever et se répartira ensuite en intervalles de temps, ce qui vous évitera la ritualisation horaire des repas. Celle-ci est, en effet, la principale source de déséquilibres nutritionnels d'autant plus difficiles à maîtriser qu'ils font partie, le plus souvent, d'un apprentissage familial élevé au rang de dogme incontournable.

Il faudra donc respecter non pas les horaires, mais les bons moments pour se nourrir, et tant pis si cela bouscule vos habitudes !

Donc :

– quelle que soit l'heure de votre lever, prenez votre petit déjeuner dans l'heure qui suit, en sachant toutefois qu'il est sage de se lever avant huit heures... même si on a fait la java une bonne partie de la nuit !

– ensuite attendez au moins cinq heures pour déjeuner ;

– goûtez au moins cinq heures après le déjeuner et aussi tard que vous le voudrez, que ce soit en fin d'après-midi, en début de soirée, ou même tard dans la nuit ;

– le soir, dînez au moins une heure et demie après votre goûter, seulement si vous avez faim et pas moins d'une heure et demie avant le coucher. Cela signifie que le goûter, qui peut se prendre encore plus tard que le dîner, car plus vite assimilé, pourra très bien remplacer celui-ci, auquel cas les fruits et dérivés sucrés qu'il comporte seront à volonté.

D'une manière générale, la composition des repas se fera donc ainsi :

Petit déjeuner :

– fromage

– pain

– beurre

auxquels on pourra, dans certains cas, ajouter des œufs et de la charcuterie.

Déjeuner :

– viande, ou viande et poisson

– féculents ou légumes verts dans certains cas

Goûter :
- gras végétaux
- fruits et dérivés sucrés

Dîner
- poisson ou fruits de mer ou un peu de viande blanche
- légumes verts

■ *Deux repas joker par semaine*

Pensez aussi que vous avez droit à deux repas joker dans la semaine et que vous pourrez, à ce moment-là, laisser libre cours à vos envies... Tout est permis.

Pour vous guider, voici une journée type, selon les principes de l'IREN. Attention : les quantités sont à adapter en fonction de votre hauteur et de votre activité. Pour connaître les quantités qui vous sont recommandées, reportez-vous aux tableaux :

- petit déjeuner, p. 99,
- déjeuner, p. 122,
- goûter, p. 150,
- dîner, p. 164.

Quelques petits conseils

À lire attentivement avant de vous mettre à table... même si vous nous connaissez déjà.

Vous avez fait courageusement le point sur votre morphotype actuel en lisant *Mincir en beauté*, constaté le chemin à parcourir pour avoir un corps aux formes harmonieuses, et peut-être séché quelques pleurs. Ne vous désolez pas si les dégâts constatés sont assez importants, vous en serez, en effet, seulement quittes pour un apprentissage un peu plus long.

Par ailleurs, vous allez très vite vous rendre compte avec bonheur que la solution proposée, si elle nécessite de la discipline, ne vous empêchera en aucun cas de rester gourmands et gourmandes, comme je vous l'ai promis au début du présent ouvrage.

J'ai cependant quelques recommandations préalables à vous faire afin de vous éviter toute erreur d'application quand vous lirez nos livres de recettes et que vous déciderez de mettre celles-ci en pratique :

– Même si vous n'avez aucun problème de métabolisme ou de carences, faites attention à bien lire les « bon à savoir » notés en dessous de chaque recette, avant de réaliser celle-ci. Certaines recettes sont interdites aux diabétiques, d'autres aux gens souffrant d'excès de cholestérol ou encore d'excès d'acide urique, affection plus connue sous le nom de « goutte ». Mais ces « bon à savoir » donnent également d'autres renseignements utiles pour toutes et tous.

– Les recettes ont été créées pour une personne mesurant 1,70 m et ayant un métier actif. Pour tous les autres cas, consultez les tableaux de quantités recommandées pour chaque repas. Tenez compte de votre taille et de votre activité pour définir les quantités d'aliments auxquelles vous avez droit. En respectant ces quantités, vous serez assurés de pouvoir vous régaler tout en gérant au mieux votre poids, votre silhouette et votre santé.

– Regardez bien les pictogrammes inscrits à côté des recettes : ce petit dessin vous sera utile pour déguster un plat au bon moment de la journée. Vous noterez que certaines recettes comportent deux pictogrammes et peuvent donc être réalisées aussi bien pour le déjeuner que pour le dîner. Dans ce cas, vous trouverez dans la rubrique « bon à savoir » des indications sur les modifications à effectuer sur les proportions et l'accommodement, selon que ces plats seront consommés au déjeuner ou au dîner.

Nous allons pouvoir entrer dans l'organisation quotidienne de notre alimentation naturelle, dont j'espère vous avoir suffisamment montré le pourquoi et le comment...

Mais n'oubliez jamais de garder ceux-ci présents à l'esprit tant que vous n'aurez pas acquis les indispensables automatismes alimentaires.

Si vous saviez avec quelle facilité on les oublie dans les débuts, illustrant hélas bien souvent le proverbe : « Chassez le naturel, il revient au galop ! »

4

Votre journée type

LE PETIT DÉJEUNER

Les fondations de la journée

Parce que votre corps est une belle machine, il est exigeant sur la qualité des soins qu'on lui procure.

Le petit déjeuner doit permettre de commencer la journée en beauté. Si vous avez la chance de pouvoir maîtriser vos horaires, il va vous permettre de débuter celle-ci en douceur. Dégustez-le dans un endroit agréable, seul ou avec vos proches, dans le silence ou la douceur d'un bon disque, avec l'accompagnement sympathique de votre radio préférée, chez vous ou au café du coin...

Mais si vous êtes de ceux qui démarrent la journée sur les chapeaux de roue, ne le négligez pas, cela vous condamnerait à courir jusqu'au soir après une sensation de faim.

Pour les martyrs de l'horloge, nous avons prévu un petit déjeuner qui pourra aussi bien être préparé la veille pour être avalé en vitesse le matin de très bonne heure ou, s'il le faut, dans le métro, le bus ou la voiture, ou au contraire mitonné au lever avec gourmandise pour être ensuite savouré avec délectation.

Ne vous privez surtout pas de commencer la journée en calmant bien votre appétit et sachez que si vous ne le faites pas, votre estomac vous fera savoir bien avant la fin de la matinée que vous avez eu vraiment tort de ne pas m'écouter !

Le petit déjeuner constitue la base nutritionnelle de la journée, destinée à donner à l'organisme les premiers éléments de sa reconstruction quotidienne. Je l'ai doté d'un maximum d'énergie sous la forme la plus concentrée possible, afin de ne pas surcharger l'organisme tout en vous réhabituant à manger suffisamment pour ne plus faire un supplice de vos fins de matinée.

Il pourra même être plus abondant si vous êtes déjà habitués à beaucoup manger le matin, et c'est pour cela que j'ai ajouté, dans le résumé qui précède, un possible complément d'œufs et/ou de charcuterie.

Si vous ratez ou, pire, si vous sautez le premier repas d'une journée normale, vous fausserez la chrono-biologie de celle-ci et ne pourrez plus prétendre maîtriser votre poids et votre volume, ni gérer correctement votre santé.

Vous connaissez tous l'adage : « L'avenir appartient aux gens qui se lèvent tôt. »

J'en ajouterai deux autres issus de mon expérience de gériatre : « C'est en vous levant tôt que vous vivrez vieux » et surtout, pour compléter ce que je vous disais tout à l'heure : « Bougez régulièrement, vous vieillirez moins vite. »

Avis donc aux inactifs et aux retraités : si, pour m'obéir, vous avez pris votre petit déjeuner suffisamment tôt, vous être priés de ne pas vous recoucher après. Ne riez pas, les actifs, car c'est, hélas, trop souvent le cas et j'ai bien du mal parfois à obtenir qu'on m'écoute. Gardez donc bien tous cela en mémoire, que ce soit pour bientôt ou pour beaucoup plus tard, suivant votre âge actuel.

Selon que vous êtes jeune ou vieux, homme ou femme, grand ou petit, sédentaire ou hyperactif, vous choisirez votre menu du petit déjeuner dans le tableau ci-contre, et les enfants de plus de deux ans (c'est l'âge du sevrage) pourront en faire autant, les parents devant surtout les laisser se nourrir à volonté afin de préserver leur instinct naturel, bien meilleur guide que notre apprentissage.

Quant à vous, les adultes, même si cela vous paraît beaucoup... mangez sans crainte.

Vive les tartines !

Vous ne rêvez pas, voici le menu de votre premier repas, un vrai repas composé de pain, de beurre et de fromage... Vous pourrez déguster des tartines variées, goûteuses, craquantes en toute bonne conscience.

Menu du petit déjeuner
(pour une personne mesurant 1,70 m,
ayant un métier actif)

Matinée normale	Matinée longue ajouter :
• 100 g de fromage ;	• 2 œufs ;
• 70 g de pain ;	et/ou
• 20 g de beurre ;	• 100 g de charcuterie ;

Thé, café, infusion, tisane ou eau plate ou pétillante à volonté, sans sucre ni lait.

Petit déjeuner
Quantités recommandées

Les quantités sont à respecter suivant votre taille et votre activité, que vous soyez homme ou femme, et jeune ou vieux, l'âge et le sexe ne devant pas entrer en ligne de compte.

	Matinée normale		Matinée longue	
Votre taille	**Fromage**	**Pain**	**Beurre**	**+ Œufs et/ou charcuterie**
1,50 m	60 g	50 g	10 à 20 g	1 ou 60 g
1,60 m	80 g	60 g	10 à 20 g	1 et/ou 80 g
1,70 m	100 g	70 g	10 à 20 g	2 et/ou 100 g
1,80 m	120 g	80 g	10 à 20 g	3 et/ou 120 g
1,90 m	140 g	90 g	10 à 20 g	4 et/ou 140 g

Les quantités de ce petit déjeuner qui démarre la journée seront assujetties à votre taille. Cependant, je ne le répéterai jamais assez, si vous vous recouchez après l'avoir pris ou si vous le prenez trop peu de temps avant le déjeuner, vous risquez fort, dans les deux cas, de subir un fâcheux effet de stockage.

N'oubliez pas qu'il faudra, de toute façon, au moins quatre à six heures d'intervalle entre ce premier repas de la journée et le deuxième, et que les quantités seront en fonction essentiellement de votre taille afin de vous fournir l'apport énergétique correspondant à vos besoins personnels.

On tiendra simplement compte, qu'il s'agisse de grands ou de petits, d'hommes ou de femmes, d'enfants ou d'adultes, de jeunes ou de vieux, d'une éventuelle durée anormalement longue entre le petit déjeuner et le déjeuner.

Si, en prenant les quantités conseillées, on s'aperçoit

qu'on a eu très faim au moins une heure et demie avant le deuxième repas, on s'autorisera alors la faculté d'ajouter un ou deux œufs ou de la charcuterie aux petits déjeuners suivants. Mais, dans tous les cas, on ne doit jamais augmenter ou réduire les quantités de fromage sans l'avis d'un ou d'une chrono-nutritionniste.

La quantité de beurre sera, selon vos goûts, comprise entre 10 et 20 g, sans suppression ni excès. Le beurre sera doux ou salé selon vos goûts, sauf si vous êtes sujet à l'hypertension artérielle.

N'ayez pas peur de manquer de vitamine C et rassurez-vous, celle-ci est présente dans le pain en quantité suffisante pour démarrer vos activités quotidiennes.

Mais l'être humain étant par nature aussi complexe qu'imprévisible et ses goûts à l'avenant, il reste le problème de celles et ceux qui n'aiment pas notre petit déjeuner « à la française ».

Pour ceux et celles-là nous avons donc préparé des petits déjeuners dont tout le monde pourra profiter à son goût et suivant sa fantaisie.

■ *Le fromage : 100 g*

Les lipides amis

Le corps d'une personne mesurant 1,70 m a besoin d'un minimum vital de 30 g de lipides purs par jour, soit 100 g de fromage.

Le petit déjeuner sera donc lipidique car il faut **manger gras le matin**.

Ce repas clé est nécessaire pour la fabrication des parois cellulaires, qui sont faites essentiellement de lipides. Il permettra également d'éviter le fameux coup de pompe de l'avant-midi.

Nous allons fabriquer du ciment pour rebâtir, dans les heures qui suivent le lever, cette machine humaine qui se construit de la naissance jusqu'à l'âge adulte et se répare sans cesse pour échapper à l'usure, sous peine de disparition. **En cela, nous obéissons tous à la chrono-biologie dont l'expression dans la vie de tous les jours est la chrono-nutrition** (cf. p. 65).

Réfléchissez bien : je suis sûr que si vous passez en revue vos façons de manger le matin – en vacances, en voyage, avant d'aller travailler –, vous retrouverez d'énormes différences dans la sensation de votre corps au cours de la matinée suivant le petit déjeuner que vous aurez pris.

Après avoir essayé ce nouveau petit déjeuner, vous serez surpris par la sensation de bien-être qui vous accompagnera jusqu'au déjeuner.

Oubliez le sucre au petit déjeuner !

Le sucre est un ennemi s'il est absorbé au petit déjeuner. Le coup de pompe de la matinée vient en général d'un taux de sucre inférieur à la normale dans l'organisme : c'est l'hypoglycémie.

Le sucre, rappelons-le, est un carburant rapide et un merveilleux défatigant, pris au bon moment. Ainsi, dans l'après-midi, l'apparition d'une sécrétion d'insuline va faire chuter le taux de sucre dans le sang, provoquant de manière plus ou moins intense le « coup de pompe » ou la mauvaise humeur de la fin d'après-midi que vous éviterez grâce au goûter sucré.

Par contre, le matin, à l'heure du lever, même si parfois l'idée d'avoir à affronter la journée peut vous donner l'envie d'aller vous recoucher, il ne s'agit pas d'une fatigue liée à un manque de sucre rapide, mais de la bien connue asthénie psychique du réveil traduisant une difficulté de mise en route.

Celle-ci n'est pas due à une carence d'apport en sucre rapide ; c'est au contraire l'abus de sucre rapide, à un moment où l'organisme a essentiellement besoin de lipides et de protéines, qui va déclencher une trop forte sécrétion d'insuline, laquelle va parfois faire chuter de façon spectaculaire le taux de sucre dans le sang et provoquer une sensation de malaise plus ou moins intense.

Commencer la journée par des confitures et des viennoiseries constitue donc une grossière erreur, mais en France les habitudes culturelles font que nous la répétons à l'infini. Pourtant, quand vous aurez passé quelques jours avec notre petit déjeuner, vous oublierez vite ces sucreries du matin. Mais ne craignez rien, vos confitures auront aussi leur rôle à jouer comme d'autres sucres rapides, plus tard, au goûter, comme nous le verrons plus loin.

Habituez-vous à commencer votre journée par des corps gras accompagnés de « bons sucres », c'est-à-dire de sucres lents.

Car il faut des sucres lents avec ce gras pour lancer le moteur, et **il faut des protéines** pour commencer dès le matin à approvisionner en briques le corps qui dispose de son ciment.

Beurre et pain accompagneront donc le fromage sur la table de vos petits déjeuners.

Ayez le courage de passer au petit déjeuner que je vous propose et votre matinée sera plus agréable qu'elle ne l'a jamais été. Vous réserverez les aliments sucrés pour d'autres moments de la journée, notamment pour dissiper le coup de pompe ou la mauvaise humeur de fin d'après-midi.

Fromages divers et variés

En France, le fromage est un aliment rituel pour clore le repas de midi. Il peut même tenir lieu de repas du soir, s'accompagnant d'une salade ou d'un potage. Il est pris alors à une heure qui ne convient pas à notre métabolisme, et va être d'autant plus stocké que sa prise va être tardive, la pire de toutes les erreurs nutritionnelles étant la soupe à l'oignon qui termine à l'aube les soirées prolongées.

Cholestérol

Votre corps a besoin de cholestérol pour se reconstruire, on le sait. Mais il ne se reconstruit pas au même rythme 24 heures sur 24, et c'est la grande découverte de la chrono-biologie nutritionnelle.
Dans les heures qui suivent le lever, le métabolisme du cholestérol est à son maximum d'activité.
Dans les 4 à 6 heures qui suivent, la demande en corps gras se reproduira, moins forte, tandis que celle en protéines sera à son point fort.
En fin d'après-midi ou de journée, il apparaît dans le sang un petit pic d'insuline. Les sucres en petite quantité seront les bienvenus, mais il sera trop tard pour charger son corps en lipides saturés et en protéines, à moins qu'on ne désire les stocker !

Consommé le matin, le fromage se pare de toutes les vertus. On y trouvera une bonne part de protéines animales, auxquelles on va ajouter des protéines végétales puisqu'il en faut et des sucres lents pour compléter la ration alimentaire souhaitable.

Tous les fromages sont bons et sont utiles. Nous devons les choisir en fonction de nos goûts et de nos envies, sans jamais nous préoccuper de savoir leur pourcentage en corps gras.

L'important est d'en manger 100 g tous les matins qu'on coupera en une part après division de la quantité correspondant au poids écrit sur la boîte ou le papier d'emballage. Si vous achetez votre fromage à la coupe, demandez à votre fromager des parts de 100 g.

Apprenez à ne pas peser mais à mesurer : vous parviendrez très vite à gérer parfaitement vos quantités nécessaires sans être perdu si vous n'avez pas de balance sous la main !

Bien entendu, on peut panacher ses fromages et les répartir en 5 parts de 20 g sur autant de petites tranches de différents pains.

Faites-vous plaisir avec les centaines de fromages qu'on peut choisir en France : pâtes molles à croûte lavée (maroilles, livarot, pont-l'évêque), pâtes pressées cuites (beaufort, comté), fromages fondus (aux noix, au jambon, aux fines herbes), pâtes molles à croûte fleurie (brie, camembert, coulommiers), pâtes persillées (roquefort, bleu d'Auvergne, fourme d'Ambert), pâtes pressées non cuites (saint-nectaire, reblochon, cantal), chèvres (chabichou, rocamadour, pouligny-saint-pierre)... et ajoutez même si vous le voulez à cette liste les fromages étrangers, qu'ils soient de Hollande, de Suisse ou d'ailleurs.

Je ne tiens pas compte des pourcentages en corps gras, préférant vous laisser le choix en fonction de leur saveur et de leur moelleux.

Suivez les saisons et découvrez ainsi les plaisirs d'un vacherin à l'automne, d'un bon chèvre au printemps...

La plupart des magasins offrent régulièrement des promotions : n'hésitez pas à en profiter et congelez les fromages, emballés dans de l'aluminium ; la plupart d'entre eux le supportent très bien. En tête de ces fromages faciles à congeler viennent ceux qui contiennent le moins d'humidité (comté, beaufort, tomme, saint-nectaire), puis les munster, reblochon, chèvre et camembert.

Sortez-les du congélateur la veille au soir et laissez-les à température ambiante, sans emballage.

Si le goût trop prononcé de certains fromages vous gêne, essayez des fromages doux de type Kiri, Chavroux, Pavé d'Affinois ou Caprice des Dieux, lequel ne se mange pas à deux comme le clame la publicité mais à trois... car il pèse 300 g !

Ne me dites pas maintenant que vous ne trouvez rien à votre goût dans ces savoureuses productions françaises ou étrangères !

Je vous rassure, huit jours suffisent à les faire entrer sans souffrir dans vos habitudes alimentaires du matin, puis à les rendre indispensables à votre bien-être.

Et si vous voulez garder une impression de déjeuner-dessert, lancez-vous dans quelques préparations rapides : *Croque-monsieur campagnard au brie de Meaux, Tourte au munster, Quiche au coulommiers, Tartines beurrées au gratin de Leerdamer parfumées à la maniguette...*

Ce petit déjeuner gourmand va vous permettre de faire face largement à toutes les fatigues et dépenses d'énergie de la matinée. Vous attendrez ainsi avec une parfaite décontraction le repas du midi.

Si vous n'aimez pas le fromage

Première solution. Sans aucun doute la plus efficace et en même temps la plus agréable : cacher ce fromage dont l'aspect, l'odeur, ou les deux, vous gênent dans des croque-monsieur, des tartes, des tourtes ou des gâteaux salés (recettes p. 281). Cela peut vous surprendre, mais comme il faut absolument des corps gras le matin, mieux vaut ajouter du jambon, de préférence cru, que des confitures dont on sait l'effet néfaste à ce moment de la journée.

Précisons d'ailleurs que si nous préférons vous proposer le fromage, c'est qu'il a une très grande importance dans le métabolisme du calcium : 100 g de fromage vous protégeront, mesdames, du risque d'ostéoporose, dont on s'est récemment aperçu qu'il fallait se prémunir au moins vingt ans avant la ménopause, c'est-à-dire chez des femmes encore très jeunes.

Ces préparations auront l'avantage d'évoquer des desserts et surtout d'avoir changé totalement le goût et fait disparaître l'odeur des fromages grâce à la cuisson.

D'autres petits déjeuners

– 2 croque-monsieur, p. 281
ou
– 1 part de tarte au pont-l'évêque et au livarot, p. 282
ou
– 12 à 15 tartinettes de neufchâtel, p. 283
ou
– 2 tartines au Rouy et au sésame, p. 283
ou
– 1 part de quiche lorraine, p. 284
ou
– 2 œufs à la coque mouillettes surprises, p. 285

Si vous avez d'autres idées, n'hésitez pas à les essayer pourvu que vous respectiez les proportions et les aliments autorisés.

Cela permettra aux imaginatifs de se réconcilier avec les fromages sans souffrir, et à ceux qui n'aiment pas le pain de résoudre leur problème sans tomber dans le **piège redoutable des céréales arrosées de lait**, lequel cumule les inconvénients du lait et du sucre (trop de lactose et de sucres rapides).

Deuxième solution. Essayez de vous réadapter très progressivement en réalisant des préparations de fromage doux mixé avec une cuillerée à soupe de crème car le fromage blanc ne contient pas suffisamment de lipides pour satisfaire la quantité souhaitable le matin. Pensez à tous les fromages que vous voudrez, pourvu qu'ils ne contiennent pas de petit lait. Donc surtout pas de yaourt, qui est un aliment pour bébés. En effet, le lactose contenu dans le yaourt est utile pour le bébé car il lui permet de stocker les lipides absorbés, et de grandir en même temps qu'il grossit... ce qui est normal. Mais ce qui est bon pour le bébé n'est pas forcément bon pour l'adulte.

Un dérapage... contrôlé !

Exceptionnellement le dimanche matin, si on s'est levé tard et si la journée ne s'annonce pas très active :
– 1 petit bol chinois de fromage blanc ;
+ 1 cuil. à café de crème fraîche ;
+ 1 cuil. à café de basilic ciselé.

Troisième solution. Le petit déjeuner à l'allemande ou à l'anglaise : on remplacera le fromage par des charcuteries, des œufs, du jambon cru ou braisé (le jambon blanc n'est pas assez gras) et par toutes les viandes grasses que l'on voudra, chaudes ou froides.

N'oubliez pas que, si vous êtes voyageur d'affaires ou touriste, tous les hôtels internationaux proposent un petit déjeuner qui permet de rester dans les principes de la chrono-nutrition.

Sur ce schéma, les fantaisies hôtelières greffent, hélas, une importante quantité de sucres plus ou moins rapides contenus dans les jus de fruits, confitures, fruits frais ou secs, compotes, pains de mie, pains au lait, préparations céréalières qu'il conviendra d'éliminer totalement, sans compter les sucres des yaourts et du lait, qu'il faudra également exclure – la transformation du lactose en galactose inondant l'organisme de sucres, non pas lents comme certains le prétendent, mais retardés et prêts à l'emploi.

Petit déjeuner à l'anglaise

– 2 œufs sur le plat ;
– 2 tranches de bacon ou jambon fumé ;
– 4 tartines de pain complet bien beurrées ;
– thé à volonté, sans sucre ni lait.

Petit déjeuner à l'allemande

- 2 œufs brouillés ou en omelette ;
- 2 saucisses (de Strasbourg, par exemple) ;
- 1 tranche de petit salé ;
- 70 g de pain de campagne ;
- café à volonté, sans sucre ni lait.

■ *Le pain : 70 g*

Renouez avec le bon pain !

Si les sucres rapides sont trop vite brûlés au petit déjeuner par l'organisme, les sucres lents seront un carburant beaucoup mieux utilisé et permettront la mise en place du métabolisme des graisses, que le feu de paille des sucres rapides ferait capoter.

Tous les pains sont bons pourvu qu'on n'y ait pas de sucres rapides ajoutés, astuce des fabricants pour fidéliser leur clientèle et créer cette fameuse dépendance, bien connue des nutritionnistes et des diététiciens.

Attention aux biscottes et aux pains de mie qui contiennent des sucres ajoutés ; les pains industriels, grillés ou non, s'ils sont d'honnêtes pains sans rajouts intempestifs de glucose sont *a priori* consommables.

On se régalera en revanche de 70 g de bon pain blanc croustillant, ce qui fait un tiers de baguette, ou du même poids de pain de campagne, de pain au son, de pain aux céréales, de pain épis... et tant d'autres pains, y compris de pain aux noix si l'on a une envie de roquefort.

Si vous avez des difficultés de transit intestinal, renoncez au pain blanc et choisissez un pain riche en fibres : pain au son, aux céréales, complet...

Si vous n'aimez pas le pain

Pas de problème, on peut le remplacer, comme vous l'avez lu plus haut, par des compositions de pâtes pâtissières, salées et non sucrées, fourrées au fromage, qu'elles soient brisées ou feuilletées.

Mais surtout pas de céréales et en aucun cas de biscuits car ils contiennent des sucres rapides !

On ajoutera à ce pain de bons acides gras saturés, riches en vitamines A (le beurre), bénéfiques le matin alors qu'ils sont toxiques le soir...

■ *Le beurre : 20 g*

Retrouvez le plaisir de tartiner...

Mangeons du beurre au petit déjeuner, **mais pas après**, du beurre frais, demi-sel ou salé, avec notamment ce magnifique sel de Guérande si iodé qu'on entend le bruit de la mer et le cri des mouettes quand on l'a sur la langue, du bon beurre, qu'il soit d'Échiré, nantais, d'Isigny ou d'ailleurs.

Hypertension

Attention ! Si vous souffrez d'hypertension, surtout à minimale élevée, ce plaisir du sel vous sera refusé, et je vous prie de bien vouloir écouter votre médecin... Ce petit bonheur pourrait vous valoir de gros ennuis !

Beurre de printemps, jaune d'or et parfumé, beurre d'été puissant, beurre d'hiver presque blanc, tous seront bons pourvu qu'ils soient naturels et de qualité et que leur quantité reste modeste : 20 g suffisent.

Pensez à sortir le beurre du réfrigérateur la veille au soir pour faciliter la confection de vos tartines.

Mais fuyez les beurres à tartiner !

Vous savez ce qu'on met dans le beurre à tartiner, comme dans beaucoup d'aliments prétendument « allégés » ? De l'eau et des algues. Si cela vous amuse de manger des algues, après tout, pourquoi ne pas vous laisser faire, c'est sans danger. Mais cela ne présente aucun intérêt nutritionnel, surtout quand on sait que ces carragheenates, aussi appelés « mousses d'Irlande », grandes algues jaunes se déroulant en rubans sur des centaines de mètres le long du littoral de l'Atlantique Nord, sont récoltées par tonnes, bien tassées dans d'énormes bateaux conteneurs, puis traitées dans des usines spécialisées pour ressortir sous forme de mètres cubes de matière translucide et gélatineuse...

Si vous n'aimez pas le beurre

Augmentez de 20 g votre part de fromage. Tant pis pour les vitamines A, vous les retrouverez dans d'autres aliments au cours de la journée (foie, jaune d'œuf, carottes, épinards, tomates, abricots...).

Vous mettrez alors directement ce fromage sur le pain, et vous pourrez même utiliser du fromage à tartiner bien qu'il soit loin d'être parmi les meilleurs pour un gourmet qui se respecte.

■ *Les boissons*

Redécouvrez le thé, le café ou les tisanes !

Les meilleurs starters de votre mise en train seront le café et sa caféine, le thé et sa théine, mais ne vous contentez pas de ces boissons toniques et associez-les à des corps gras utiles, des protéines animales, des protéines végétales et des sucres lents permettant de prolonger leur effet « coup de fouet ».

On accompagnera donc ce petit déjeuner d'autant de thé, de café, d'eau plate ou pétillante, d'infusion, de tisane qu'on le voudra.

Ces boissons se prendront sans sucre ni lait. Pour les inconditionnels du lait, il est tentant d' ajouter... une goutte, dira l'avare, une larme dira la femme triste, un soupçon réclamera la femme jalouse, un nuage demandera la rêveuse. Remplacez-le plutôt par une cuillerée à soupe de crème, ce sera nettement plus utile et surtout moins nocif pour le bon fonctionnement de votre organisme.

Le **lait est un faux ami**, il contient une importante proportion de **lactose,** sucre rapide totalement absent dans le fromage. Or, si l'on ajoute une forte quantité de glucose à un moment où l'organisme a besoin de lipides, ce surplus va gêner la métabolisation correcte des corps gras.

Le sucre rapide fait s'engager l'organisme dans une mauvaise voie métabolique car notre ordinateur personnel est paresseux : s'il a le choix entre une voie rapide et une voie lente, il choisit toujours d'aller au plus simple et de prendre le chemin le plus rapide... Il fonctionne alors en roue libre et laisse de côté son travail matinal de reconstruction en partenariat avec les sucres lents, pour sauter sur les sucres rapides qui sont immédiatement consommés, expliquant notre coup de fatigue de la matinée.

Que deviennent alors tous les lipides et toutes les protéines non utilisés ?

Ils seront stockés impitoyablement, ce repas du matin venant alors s'ajouter au repas du soir pour augmenter les réserves et se placer à des endroits que vous ne souhaitez pas voir s'arrondir !

Bannissez les faux sucres et les édulcorants !

Il ne faut jamais tricher avec son corps si l'on veut définitivement se débarrasser de toute dépendance au glucose.

Apprenez plutôt à mieux préparer le thé et le café, car si vous êtes obligé d'y rajouter du sucre, c'est qu'ils sont imbuvables autrement, tout simplement parce que vous les faites beaucoup trop forts.

L'animal humain primitif ne connaissait pas le goût du glucose, sauf en de rares occasions dans le miel et de façon saisonnière, dans les fruits.

Il suffit d'une semaine pour que vos papilles gustatives désapprennent cette notion civilisée et reviennent aux critères ancestraux du goût.

Le café

Léger, le café ! Pour être bon, le café ne doit pas être noir comme l'enfer, ce qui de plus en fait un redoutable accélérateur du rythme cardiaque. Trop noir, donc trop fort, il provoque en prime des chutes de la glycémie responsables de malaises en raison des actions chimiques de la caféine. La caféine est un excitant du système nerveux central qui devient alors fortement demandeur de glucose.

Partez du principe que si vous éprouvez le besoin impérieux de sucrer votre café, c'est qu'il est trop amer.

Pour définir une règle de conduite facile à suivre, mettez votre café habituel très chaud dans une tasse deux fois plus grande et ajoutez-y de petites quantités d'eau bouillante ou chaude, jusqu'à ce que le goût vous en paraisse acceptable. Bien sûr, vous pourrez également, si vous utilisez du café soluble, diminuer la quantité de poudre ou verser dessus un peu plus d'eau... mais vous risquerez d'avoir la main trop lourde sur la quantité de liquide et d'aboutir sans possible retour en arrière à un infâme jus de chaussette !

Si vous avez le courage de supprimer le sucre dans votre

café pendant huit jours, vous ne pourrez plus y mettre un morceau de sucre de toute votre vie tant cela vous paraîtra innommable quand vous en referez l'essai.

Si la force du café est un facteur de sucrage, son goût l'est au moins autant : un suave café bolivien ou un subtil péruvien n'auront pas autant d'âpreté qu'un puissant café africain, dont il faudra tempérer plus notablement la force.

Pour vous habituer à ne plus sucrer, buvez plutôt des cafés arabica, qu'on a moins besoin d'édulcorer ou d'étendre d'eau. Vous reviendrez peut-être aux robusta après quelques mois d'expérience...

Le thé

Variez les thés, achetez-les en vrac et essayez-vous à tous les mélanges en ayant la main légère sur les quantités. C'est *a priori* parce qu'il est trop fort, donc trop amer, qu'on y ajoute du lait ou du sucre, afin d'assouplir cette curieuse sensation de rétrécissement de la muqueuse buccale que provoque le thé trop astringent. À la rigueur, on pourra y mettre une pointe de lait, nous l'avons dit, mais **jamais de sucre**.

Il faut apprendre à ne pas faire inutilement macérer les feuilles de thé dans l'eau frémissante, ce qui provoque l'issue de la fraction la plus dense de ses résines, dont l'amertume est fort désagréable.

Thé des Indes, thé de Chine, séchés, verts, fumés, thé de Ceylan (Sri Lanka), thés parfumés de toutes les manières, le choix est vaste.

Les thés de Chine fumés ont ma préférence :

– Lapsang Souchong, le plus connu, que j'affectionne

par-dessus tout le soir pour accompagner des harengs saurs dont il reprend le goût et l'exalte dans un camaïeu de saveurs ;

– Be Jung pointes blanches, le plus intense, dont l'arôme pénétrant favorise, dit-on, la digestion et l'assimilation des graisses.

Quant aux thés de Ceylan (Sri Lanka), ils ne se définissent pas seulement par les régions comme en Inde ou les provinces comme en Chine, mais également par l'altitude de leurs cultures.

Le thé se boit orange et non pas marron si l'on veut qu'il soit très agréable à déguster sans avoir besoin d'y ajouter un édulcorant ou d'autres additifs. Pour cela, on laisse infuser le sachet, la boule, le filtre à thé ou la cuillère à thé 5 minutes, pas plus.

Le thé se buvant aussi bien froid que chaud, on peut le mettre à rafraîchir et l'utiliser glacé lors des longues journées d'été.

Les tisanes

La palette de goûts est devenue, depuis quelques années, incroyablement étendue : vous consommerez en alternance du thym, du romarin, du tilleul, mais aussi, si cela vous est plus familier, les dizaines de mélanges en sachets que l'on trouve aujourd'hui sur le marché.

L'eau

L'**eau**, **plate** ou **pétillante**, est irremplaçable. C'est la seule boisson physiologiquement indispensable.

Bien fraîche et désaltérante, elle remplace avantageusement tout autre boisson à ce moment de votre journée, les sodas et autres boissons sucrées présentant un dangereux cocktail de sucres allié au gras du fromage.

Le potage

Fortement déconseillé le midi, sauf circonstances exceptionnelles, et formellement interdit le soir, les amateurs privés de ce bonheur pourront le déguster au petit déjeuner où il ne présente aucun risque.

Il leur faudra, dans ce cas, veiller à diminuer la ration de pain à 50 g (moins de baguette) si l'on y a incorporé des féculents (pommes de terre, tapioca ou pâtes), à ne pas dépasser un petit bol chinois, et enfin à le saler le moins possible.

Ainsi commencée par un solide petit déjeuner, la matinée, même si elle est bien remplie, vous paraîtra d'emblée beaucoup moins longue.

Au bout de quelques jours, vous vous apercevrez que vous êtes délivré de cette fringale classique qui vous poussait au bout de quelques heures à regarder votre montre dans l'attente d'une ruée sauvage vers un déjeuner salvateur. Faites preuve d'imagination, variez vos tartines de fromages à l'infini et parcourez le monde de votre table en découvrant chaque jour de nouvelles saveurs...

Si la matinée est trop longue

Exceptionnellement, si vous devez déjeuner très tard et que votre matinée est trop longue, vous pouvez manger un petit carré de chocolat noir dans l'heure qui précède votre déjeuner et l'accompagner d'un verre d'eau... au lieu de le grignoter avec le café à la fin du déjeuner, ce qui n'est certes pas une bonne idée !

LE DÉJEUNER

Profitez du déjeuner pour consolider la construction de votre journée

Le déjeuner va servir à terminer les cellules qu'on a commencé à construire le matin. Il doit suffire à compléter les apports en énergie et en acides aminés du petit déjeuner. L'organisme va l'utiliser pour rééquilibrer ses moyens de défense et permettre ainsi au corps, en les stockant pour les utiliser dans la nuit jusqu'au lendemain matin, d'achever sa reconstruction quotidienne.

Le déjeuner est en cela le lot incontournable des animaux carnivores et fructivores que nous sommes, végétariens plus par goût que par absolue nécessité, heureusement devenus rarement végétaliens pour obéir à une idéologie intellectuellement fort respectable mais biologiquement inacceptable.

Aussi simple que nourrissant et aussi savoureux que simple, le déjeuner devra donc se composer de protéines animales et de féculents.

Il sera court, mais solide et efficace. Ainsi, il n'entraînera pas de somnolence ou de lourdeur comme peut le faire un repas trop copieux ou mal équilibré.

Manger lourd sans manger trop ni mal implique d'abord de manger simplement.

Menu du déjeuner
(pour une personne mesurant 1,70 m, ayant un métier actif)

• viande rouge : 240 g
– ou viande blanche, volaille : 280 g
– ou charcuterie : 260 g
– ou œufs (pas plus de 4 fois par semaine) : 4
• féculents (riz, pâtes, frites...) : 1 bol de 33 cl

pas d'entrée (sauf si l'on scinde la viande en entrée + plat)
pas de salade
pas de fromage
pas de dessert
pas de vin
pas de pain (sauf s'il remplace la part de féculents, dans ce cas 50 g maxi, soit 1/4 de baguette)

Ce tableau n'indiquant qu'une catégorie de personnes, il faudra vous référer aux tableaux détaillant les diverses quantités correspondant à votre taille et à votre activité physique, si vous souhaitez corriger vos erreurs et arriver à un morphotype équilibré !

Le déjeuner est aujourd'hui bâclé dans les restaurations rapides, caricaturé dans les sandwicheries, oublié au profit du lèche-vitrine, ou remplacé par une heure de gymnastique. C'est là un bien mauvais calcul, car oublier le déjeuner aura, à plus ou moins long terme, des conséquences fâcheuses sur votre silhouette et votre santé.

Comme en fin d'après-midi votre organisme fera obligatoirement le point sur la qualité et la quantité de nourriture qu'on lui a fait ingérer, il est totalement inutile d'espérer le tromper par l'accumulation d'aliments légers ou allégés, destinés à occuper le plus grand volume possible. Notre organisme, comme une machine bien huilée, évaluera sans état d'âme son quota nécessaire de carburant utile et, s'il en manque, gare au pire !

Vous serez les victimes d'incidents fâcheux pour vous et parfois pour l'entourage : mauvaise humeur, faim perpétuelle après une fugace sensation de bien-être, faim dévorante le soir et mauvaise nuit... En bout de course, si vous persistez dans cette voie insidieuse du déjeuner déséquilibré ou absent, attendez-vous à une croissance inexorable du poids et des formes précédées, le plus souvent, d'une maigreur temporaire plus ou moins vite surcompensée par des périodes de boulimie incoercible.

Pour éviter tous ces désagréments, le déjeuner sera composé de plus de protéines animales et de moins de lipides que le matin, sans oublier une petite quantité de protéines végétales et de sucres lents.

Déjeuner
Quantités recommandées

Les quantités sont à respecter suivant votre taille et votre activité, que vous soyez homme ou femme, jeune ou vieux, l'âge et le sexe ne devant pas entrer en ligne de compte.

Protéines animales					
Aliments	**Votre taille**	**Retraités inactifs et convalescents**	**Métiers sédentaires et retraités actifs**	**Métiers actifs**	**Métiers manuels et sportifs prof.**
Viande rouge	1,50 m	150 g	170 g	210 g	250 g
	1,60 m	160 g	180 g	220 g	260 g
	1,70 m	170 g	190 g	230 g	270 g
	1,80 m	180 g	200 g	240 g	280 g
	1,90 m	190 g	210 g	250 g	290 g

Protéines animales					
Aliments	**Votre taille**	**Retraités inactifs et convalescents**	**Métiers sédentaires et retraités actifs**	**Métiers actifs**	**Métiers manuels et sportifs prof.**
Viande blanche et volaille	1,50 m	190 g	220 g	260 g	310 g
	1,60 m	200 g	230 g	270 g	320 g
	1,70 m	210 g	240 g	280 g	330 g
	1,80 m	220 g	250 g	290 g	340 g
	1,90 m	230 g	260 g	300 g	350 g
Charcuterie pas plus de 3 fois par semaine	1,50 m	170 g	190 g	230 g	270 g
	1,60 m	180 g	200 g	240 g	280 g
	1,70 m	190 g	210 g	250 g	290 g
	1,80 m	200 g	220 g	260 g	300 g
	1,90 m	210 g	230 g	270 g	310 g
Œufs pas plus de 3 fois par semaine	1,50 m	1	1 + 1/2	2	3
	1,60 m	2	2 + 1/2	3	4
	1,70 m	3	3 + 1/2	4	5
	1,80 m	4	4 + 1/2	5	6
	1,90 m	5	5 + 1/2	6	7

Féculents		
Votre taille	**Retraités, inactifs et convalescents – métiers sédentaires et retraités actifs**	**Métiers actifs métiers manuels et sportifs professionnels**
1,50 m	1/2 petit bol chinois de 25 cl	2/3 de petit bol chinois de 25 cl
1,60 m	2/3 de petit bol chinois de 25 cl	1 petit bol chinois de 25 cl
1,70 m	1 petit bol chinois à ras de 25 cl	1 bol de 33 cl
1,80 m	1 petit bol chinois de 25 cl bien plein	1 bol de 33 cl bien plein
1,90 m	1 bol de 33 cl	2 petits bols chinois de 25 cl

À l'inverse et selon votre morphotype, votre chrono-nutritionniste pourra vous proposer une part de légumes verts à la place des féculents, dans des cas très particuliers. Mais pour l'instant et en l'absence de conseils personnalisés, évitez, s'il vous plaît, de vous lancer dans des initiatives qui pourraient se révéler catastrophiques, même si l'été vous êtes les uns, les unes et les autres, tentés par une foison de légumes verts dont la fraîcheur vous attire.

N'oubliez pas que, en été, rien ne vous empêche de manger vos féculents cuits en vinaigrette froide, voire même glacée !

Privilégions le plat unique !

Le déjeuner devra être essentiellement composé de **plus de protéines animales et moins de lipides que le matin,** s'accompagnant en **petite quantité de protéines végétales et de sucres lents.**

Le meilleur choix possible sera donc de la **viande**, accompagnée de **féculents** à l'exclusion de tout autre aliment (sauf en additif, voir p. 127), sans oublier que la viande est l'aliment indispensable qu'on doit manger en premier, jusqu'à satisfaction de l'appétit, avant de terminer par le complément utile des féculents.

La plupart de nos grands plats régionaux en sont de magnifiques exemples : petit salé aux lentilles, cassoulet, choucroute, pot-au-feu, potées...

Dans l'idéal, ma règle de base est la suivante :

– rien avant

– rien avec

– rien après

c'est-à-dire : **pas d'entrée, pas de pain, pas de salade, pas de fromage, pas de dessert,** conditions nécessaires à la prise en quantité suffisante des aliments indispensables pour assurer un bon métabolisme digestif.

Toutefois vous pourrez parfois scinder votre plat principal en une entrée et un plat, comme nous le verrons plus loin.

Notez bien également ce qui suit.

La viande et toutes les protéines animales se pèsent crues et les œufs se mesurent à l'unité s'il s'agit d'œufs de poule, sachant qu'un œuf d'oie égale deux œufs de poule et douze œufs de caille. Il viendra certainement un jour ou l'autre sur nos tables des œufs d'autruche, mais j'avoue ne pas encore avoir eu l'occasion d'en goûter.

Les féculents ne se pèsent pas, ils se mesurent cuits. La valeur de référence est le bol chinois de 25 cl sachant que 1 bol égale 4 cuillerées à soupe bien pleines et, à l'évidence, 1/2 bol en égale 2, ce qui sera notamment très pratique pour mesurer les composants de votre goûter.

Il me tarde d'ailleurs de pouvoir vous proposer des petits bols adaptés à vos tailles respectives, car nombre d'entre vous, pas très raisonnables, en profitent pour arrondir généreusement leurs parts de féculents.

Ne soyez pas étonnés que seuls bénéficient d'une « surtaxe » les gens sollicités physiquement dans leurs activités. Souvenez-vous, en effet, que les féculents contiennent un « aliment de l'effort à court terme » dont les viandes sont beaucoup moins pourvues : les fameux sucres lents dont on a dit beaucoup de bien et beaucoup de mal... Certains les conseillant pour augmenter l'énergie des sportifs, d'autres les accusant d'être responsables de redoutables obésités, tout le monde ayant raison et tort à la fois, puisqu'il ne s'agit pas de les supprimer ou de les exagérer, mais de les manger dans l'exacte quantité nécessaire au fonctionnement de l'organisme.

C'est donc dans les cas de dépense d'énergie qu'on augmentera la quantité normale de féculents pour empêcher l'organisme d'aller puiser dans ses réserves de protéines, sans oublier qu'avant un effort violent il faudra amener à votre corps un apport énergétique rapide, dont nous parlerons dans le goûter.

Additif ou complément ?

La différence est dans l'importance de ce rajout qu'on fera à l'alimentation de base.

Le complément est la part moyenne prévue pour accompagner l'élément principal du repas :
– 1 petit bol chinois de féculent au déjeuner ;
– 1 petit bol chinois de légume vert au dîner.

L'additif, discret, sert à agrémenter le complément. Il ne modifiera pas la quantité globale du repas mais le rendra plus agréable.

Dans le cas des côtes de veau aux girolles servies au déjeuner, par exemple, les girolles constituent l'additif tandis que le complément est assuré par 1 petit bol chinois de féculents.
On pourra donc ajouter un petit additif de légumes au complément-féculent du déjeuner, à condition que la part légume soit inférieure à la part féculent.
Mais attention au dîner : là on pourra ajouter un peu de féculent en additif ou dans les sauces... mais pas trop.
L'additif ne doit pas devenir un complément, sinon cela fera courir le risque de surnutrition.

■ *La viande*

Avant de commencer cette nouvelle méthode d'alimentation, assurez-vous auprès de votre médecin traitant que vous pouvez manger de la viande ; un simple examen biologique vous rassurera sur ce point en vérifiant votre taux de créatinine sanguine. Le taux de votre acide urique vous permettra de savoir si toutes les viandes vous sont permises ou s'il faut, quand il est trop élevé, éviter les abats, la viande de cheval et la charcuterie.

La viande d'abord !

Souvenez-vous de votre enfance : « Mange ta viande d'abord, tu mangeras tes légumes après ! » Sagesse populaire et conseil parental auquel, devenu adulte, on s'est trop souvent empressé de désobéir !

Calmez votre appétit avec la viande plutôt qu'avec les féculents ou les légumes.

Comme il faut bien définir une ligne de conduite, la valeur en grammes se mesurera par : au minimum votre hauteur en viande rouge, au maximum 100 g de plus que votre hauteur, quels que soient votre sexe et votre âge :

Homme ou femme, jeune ou vieux, si l'on mesure 1,70 m, la quantité minimale de viande rouge sera donc 170 g et on mangera au maximum 170 + 100 g = 270 g de viande si on doit en permanence déployer une activité physique intense.

La plupart d'entre vous se montrent étonnés par cette quantité qui rompt avec nos habitudes, mais elle est tout à fait normale et juste suffisante si l'on n'oublie pas qu'avec et après cette viande, on ne mangera qu'une modeste portion de féculents et rien d'autre.

Quel type de viande ?

Toutes les viandes sans exception : rouge ou blanche, porc, mouton, volaille, bœuf, cheval, abats, charcuteries, gibiers ou animaux d'élevage..., qu'elles soient cuisinées bouillies, rôties, grillées, sautées, **accompagnées de toutes les sortes de sauces** : chaudes ou froides.

Privilégiez le label « viande française », il est le garant d'une qualité.

Il n'y a pas de régime, je le rappelle, donc vous pouvez laisser libre cours à votre instinct et à votre fantaisie pour atténuer la discipline du plat unique.

Toutes les viandes sont bonnes, je l'ai dit, mais bien entendu plus ou moins nourrissantes. Il vaudra mieux manger les viandes blanches en sauce ou panées, pour être suffisamment nourri, à quantité égale avec une viande rouge.

À l'évidence aussi, il vaut mieux manger gras en hiver pour aider son organisme à lutter contre le froid et maigre en été... sauf s'il fait un froid de canard ! Un beau pot-au-feu comblera les appétits les plus aiguisés, même s'il est pris à Pâques ou en plein mois d'août, selon les fantaisies de la météo.

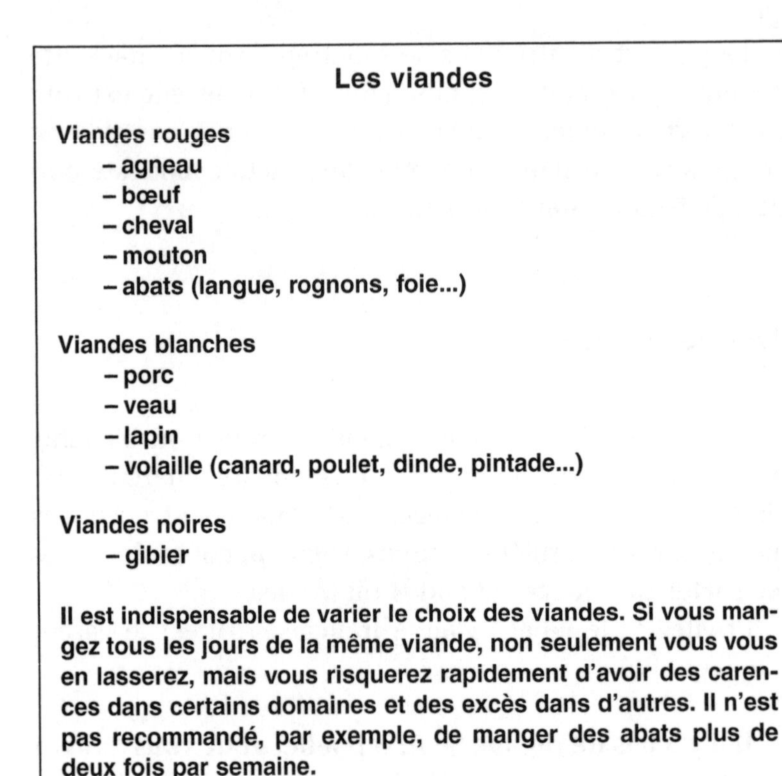

Les viandes

Viandes rouges
- agneau
- bœuf
- cheval
- mouton
- abats (langue, rognons, foie...)

Viandes blanches
- porc
- veau
- lapin
- volaille (canard, poulet, dinde, pintade...)

Viandes noires
- gibier

Il est indispensable de varier le choix des viandes. Si vous mangez tous les jours de la même viande, non seulement vous vous en lasserez, mais vous risquerez rapidement d'avoir des carences dans certains domaines et des excès dans d'autres. Il n'est pas recommandé, par exemple, de manger des abats plus de deux fois par semaine.

Quelle cuisson ?

Il faut se méfier des idées fausses : griller la viande est agréable mais n'a rien d'obligatoire et ne rendra pas maigre une viande grasse.

Il faut, en effet, savoir qu'une entrecôte grillée est plus riche en graisses qu'un bœuf en daube, et surtout que griller trop fort et trop souvent la viande ou tout autre aliment fait courir le risque de cancer du côlon. On devra donc éviter de griller systématiquement sa nourriture.

Même chose pour le gibier, toujours très maigre, sauf

celui élevé en parc et donc devenu tout aussi gras qu'un animal domestique.

On fera des choix qu'on jugera raisonnables, adaptés au moment et à l'appétit, mais on devra se laisser guider par son instinct sans instaurer une discipline exagérée.

Les *a priori*

J'ai souvent de grandes difficultés à convaincre les obèses de manger correctement aux repas. Je me souviens de l'exclamation d'une patiente, me disant d'un air profondément désolé :

« Mais, docteur, je ne pourrai jamais manger tout cela !
– Hélas ! Madame, vous mangez en fait quatre à six fois plus dans votre journée, mais comment vous en faire prendre conscience sans trop vous bouleverser et, cependant, obtenir que vous suiviez mes conseils ? »

Retrouvez donc le plaisir d'un vrai repas, aussi appétissant que convivial, à l'heure du déjeuner et, ainsi rassasié, vous verrez qu'il est facile de lutter contre les envies de grignotage. Quant aux calories, vous serez largement gagnants !

Ne négligeons pas les plats de terroir !

C'est pour vous tous que sont écrites les recettes de Guylène, publiées dans deux livres de recettes dont l'un est déjà un best-seller. Bœuf en daube, choucroute, cassoulet... plats dont vous n'osez même plus imaginer qu'ils existent ! Je vous en livre quelques extraits p. 286.

J'ai un gros faible pour la choucroute quand il fait froid, et j'ai le souvenir d'en avoir mangé de somptueuses au cœur de l'hiver dans le quartier de la Petite France à Strasbourg.

Le cassoulet toulousain me paraît, quant à lui, bon en toute saison, et j'en ai mangé là-bas en juillet, comme ce confit de canard à la sarladaise ou ce poulet aux morilles, dégustés au gré de mes voyages en France.

Attention cependant, je me dois de vous mettre en garde comme le fit la bonne fée à sa filleule : « N'allez pas au-delà de ce qui est permis, vous seriez à coup sûr très déçu »... et, contrairement à Cendrillon, vous n'aurez pas de pantoufle de vair pour vous sauver de votre imprudence !

Donc ne mélangez pas vos habitudes alimentaires actuelles avec celles que je vous conseille et respectez bien les proportions.

À l'évidence, en effet, si vous ajoutez vos calories aux miennes, cela en fera obligatoirement trop.

Quelques plats de viande pour le déjeuner

– Carré d'agneau, p. 286
– Bœuf en daube, p. 287
– Magret de canard à la bière, p. 289
– Lapin au pain d'épices, p. 290
– Palette de porc aux lentilles, p. 291
– Poulet à la sauge, p. 292
– Côtes de veau aux girolles, p. 294

Si vous n'aimez pas la viande

Problème beaucoup plus fréquent à notre époque qu'on ne le pense, le fait de ne pas manger de viande est un redoutable générateur de carences protéiniques dans toutes les couches de la population.

Il y a bien sûr ceux qui n'aiment pas la texture ou la consistance, ou encore l'aspect de certaines viandes. Mais parmi eux, beaucoup se sont forgé un stéréotype intellectuel leur faisant irrésistiblement évoquer celle qu'ils n'aiment pas quand on prononce le mot viande, particulièrement quand il s'agit de viande rouge.

Cette attitude négative est en fait le résultat d'une éducation de la petite enfance axée sur l'obligation qu'on fait trop souvent aux enfants de consommer de la viande presque toujours rouge et pas suffisamment cuite à leur goût.

Le résultat désastreux est qu'en grandissant, dès qu'ils deviennent autonomes et libres de leur choix, ils s'empressent de mettre fin à des années de soumission... Alors qu'il suffisait, pour qu'ils y prennent goût, de la faire un peu ou même beaucoup plus cuire tout simplement, ce qui ne diminue que peu sa valeur nutritive.

La viande rouge est devenue, après la dernière guerre, une telle obsession nutritionnelle, encore très vivace actuellement, qu'il me faut toujours préciser, en insistant et en prenant soin de l'écrire, que la viande qu'on va manger le midi n'est pas obligatoirement rouge...

Essayez donc les viandes blanches cuisinées avec un accompagnement de parfums et d'épices.

Ou remplacez la viande par des œufs ou du poisson très gras : thon, saumon, espadon, sardines à l'huile, en sachant qu'alors il en faudra au minimum 100 g de plus que votre hauteur et qu'il faudra ajouter en entrée à votre repas une quantité de fromage bien gras égale à votre hauteur, sans pain...

Ce que vous ne pourrez hélas pas faire si vous souffrez d'une hypercholestérolémie majeure, même correctement traitée.

La pizza IREN

L'institut a mis au point une recette de pizza (recette p. 295) au steak haché et chorizo, aux œufs, tomates, oignons... qui constitue un bon plat unique de déjeuner.

Il y a ceux qui hésitent à acheter de la viande en raison de son prix parfois franchement prohibitif.

Mais là encore, il ne faut pas croire qu'une viande chère est obligatoirement meilleure pour la santé qu'une viande nettement moins coûteuse. Ainsi, un modeste bœuf en daube est moins gras, donc tout aussi bon pour la santé, qu'une entrecôte grillée. Traquez les promotions, elles sont nombreuses dans les hyper et supermarchés et, tout comme pour le fromage, n'hésitez pas à congeler votre viande en portions.

Des plats à base d'œufs pour le déjeuner

– Crevettes au cidre en omelette, p. 297
ou
– Omelette chinoise, p. 298
ou
– Œufs aux tomates et riz pilaf, p. 299-300

Il y a un discours actuel qui tend à dire que manger trop de viande constitue un danger pour la santé.

N'importe quel excès alimentaire sera dangereux pour la santé, mais tout aussi dangereuses seront les carences suscitées par des déclarations péremptoires dénuées de toute preuve scientifique. Pour vous en convaincre, lisez les pages écrites par le professeur Rapin (p. 331).

Par contre n'oubliez pas que si nous mangeons lourd le midi, nous devons manger léger le soir, donc **jamais** de viande rouge au dîner et peu ou pas de viande blanche.

Reste un dernier problème, et non des moindres : la tendance « fin de siècle, retour aux sources et autres fariboles » consistant à afficher un style de vie végétarien, voire végétalien, où l'on sent pointer une volonté de naturalisme angélique.

En fait, cette tendance actuelle au style végétarien n'est pas l'idéal nutritionnel, loin de là, car pour obtenir la quantité de protéines équivalente à celle apportée par 250 g de viande, il faut 2 kg de lentilles, et non seulement ces protéines végétales ne seront pas aussi nourrissantes que les protéines animales, mais n'ayant pas le même poids moléculaire, elles sont moins bien assimilées et ne pourront être utilisées avec la même efficacité par l'organisme.

Enfin, cerise sur le gâteau, les végétaux, même riches en protéines comme les légumes secs, ne contiennent pas tous les acides aminés indispensables à la nutrition.

Donc, si pour votre malheur, vous décidez de ne manger que des protéines végétales, cela vous obligera en même temps à une surconsommation de sucres lents vous menant, sans détour, au morphotype monastique. Vous savez, la silhouette en tonneau que je vous ai décrite tout à l'heure.

Très sincèrement, je ne pense pas que devenir ou rester ainsi fait soit votre vœu le plus cher.

Car quoi qu'on puisse en dire, on ne peut remplacer

efficacement une protéine animale que par... une autre protéine animale !

On peut donc remplacer la viande par 3 ou 4 œufs en omelette, durs, mollets, brouillés ou en cocotte... ou par la même quantité de poisson (votre taille + 100 g) à laquelle, comme je viens de vous le dire plus haut il faudra absolument ajouter une part de fromage dont la quantité sera égale à votre hauteur en centimètres.

Si on mange des œufs, il sera prudent d'ajouter un peu de vinaigre qui joue un rôle plus important qu'on ne l'imagine sur le plan de la digestion.

J'adore l'omelette baveuse, mais je serais incapable de la digérer si je n'y ajoutais pas du vinaigre. Si vous avez l'estomac barbouillé après avoir mangé une omelette ou des œufs brouillés, faites comme moi la prochaine fois que vous en mangerez, vous aurez toutes les chances de beaucoup mieux la digérer !

Déjeuner sans viande

– Poisson exclusivement très gras : 100 g de plus que sa taille soit, pour une personne de 1,70 m : 170 + 100 = 270 g précédé par une entrée de 70 g de fromage gras (au moins 50 % de matières grasses)

ou

– 4 œufs (omelette, brouillés, au plat, durs, mollets...) : (de 1 fois par semaine à tous les jours suivant votre tolérance personnelle)

+

– 1 petit bol chinois de féculents riches en protéines végétales, comme par exemple les pâtes, les lentilles ou les pois chiches.

Ne négligez pas vos envies

Elles sont très souvent révélatrices. Par exemple, une envie incoercible de tel ou tel aliment chez une femme enceinte révèle en général une cause métabolique réelle. La fringale de boudin noir, par exemple, traduit à coup sûr une anémie, celle de cornichons un besoin d'augmenter l'acidité gastrique, et celle de chocolat presque à coup sûr un régime trop pauvre en graisse !

Si des envies répétées se manifestent, n'hésitez pas à en faire part à votre médecin qui y décèlera sans doute une origine organique sous-jacente.

La question des carences

On les constate d'emblée chez les personnes qui ne mangent pas assez de viande, pas assez de fruits, pas assez de gras et chez lesquelles on trouve de multiples déficits, le plus souvent en fer, mais aussi parfois en cholestérol.

Elles peuvent également être provoquées par la baisse de volume des réserves en cellules adipeuses chez certains patients particulièrement gras, en même temps que peu musclés, ceci entraînant une fuite importante des vitamines liposolubles dont il faudra compenser le plus rapidement possible la perte.

Il faut, dans ce cas, selon les déficits constatés, ajouter à la mise en place de la chrono-nutrition la micro-nutrition, qui permettra l'apport sous forme concentrée des éléments faisant défaut.

Très souvent, il s'agit de carences protidiques et, dans ce cas, il faudra compléter la correction de cette carence par l'apport d'une complémentation protéinée sous forme de poudres, en veillant à ce que celles-ci comportent moins de 25 % de glucides dans leur composition. J'ai réussi d'ailleurs à obtenir d'un laboratoire qu'il commercialise des préparations protidiques contenant moins de 20 % de glucides.

L'apport de protéines complémentaires concerne bien entendu uniquement les personnes qui ne peuvent pas ou ne veulent pas manger suffisamment de viande le midi. Il est d'ailleurs facile de déceler cette carence (même si elles vous jurent la main sur le cœur qu'elles en mangent suffisamment !), tout simplement en regardant leur morphotype.

Celui-ci obliquera obligatoirement une silhouette rentrant dans le rectangle idéal en haut et en bas. On pourra aisément le vérifier en demandant un taux de protides sériques. Si celui-ci est en dessous de la normale indiquée par le laboratoire ayant effectué le dosage, le sujet interrogé ne pourra plus nier l'évidence...

Le déjeuner condensé

Définition : apport alimentaire compact comportant, dans une présentation réduite, tous les éléments nutritionnels nécessaires au bon équilibre alimentaire d'un repas.

Ce repas condensé, qui ne peut pas être aussi agréable qu'un bon plat traditionnel, sera bien utile dans des situations particulières : absence de restaurants, très peu de temps disponible, et tous les impondérables qui peuvent se produire lorsqu'on est itinérant et/ou hyper occupé.

Il permettra d'apporter, quelles que soient les circonstances, la quantité de protéines nécessaire au bon fonctionnement de l'organisme, au bon moment. Bien entendu, nous essaierons de faire en sorte que ce déjeuner condensé ne soit pas une véritable punition. N'oubliez pas que mes connaissances en nutrition n'ont d'égale que ma joie de vivre. Loin de moi donc l'idée de vous punir.

Précision

Comme pour les protéines en poudre, les éléments nutritionnels composant ces repas condensés devront tous correspondre aux critères de composition et de fiabilité établis par l'Institut de recherche européen sur la nutrition et, en conséquence, être labellisés par celui-ci afin d'éviter tout dérapage mercantile.

■ *Les féculents*

La mesure de référence... le petit bol chinois (25 cl)

J'ai essayé plusieurs façons de mesurer la quantité idéale de végétaux pour accompagner les protéines et j'ai adopté le bol chinois, qui me paraissait un juste équilibre quantitatif, d'autant que son volume n'est dû ni au hasard ni à la fantaisie.

Déterminé depuis des millénaires par de puissants mandarins chinois soucieux d'économie, il représentait, à raison de deux par jour, la quantité juste suffisante pour nourrir leurs coolies afin qu'ils ne meurent pas de faim et restent suffisamment valides. Mais on n'y ajoutait la viande qu'une fois par semaine, quand ce n'était pas par mois, pour éviter un excès de vaillance, donc une possible tentation de révolte.

Je pensais que la meilleure manière de vous éviter de tricher était donc d'utiliser ce fameux petit bol chinois... Mais voilà, certains, grands et raisonnables ou petits et gourmands, le remplissaient à ras bord, d'autres saisissant le moindre prétexte pour le faire largement déborder, ou même tasser son contenu pour en avoir plus.

Alors, tout en gardant le bol chinois comme valeur de référence, je l'ai divisé en cuillerées à soupe... même si je sais que celles-ci peuvent se multiplier comme les petits pains des Évangiles, et pour éviter toute tentation de tricherie, je vous conseille de les mesurer bien remplies. Avec, en prime, une plus grande facilité de mesure quantitative suivant les tailles : 1 cuillerée à soupe bien pleine =

1/4 de bol, ce qui vous facilitera la tâche pour mesurer au quotidien la part à laquelle vous avez droit.

Comment reconnaître un féculent ?

Considérez comme féculents tous les végétaux susceptibles de produire de la farine :
– pommes de terre (à l'eau, au four, en purée, frites...) ;
– riz (blanc, complet...) ;
– pâtes (fraîches et sèches) ;
– semoules (de blé, couscous, de maïs...) ;
– légumes secs (lentilles, flageolets, cocos, soissons, haricots rouges, pois cassés, pois chiches...) ;
– légumes frais (petits pois, fèves fraîches...).

On les cuisinera comme on voudra, en respectant bien la règle d'or : **j'augmente la part de viande si j'ai faim, jamais la part de féculents.**

La viande sera le carburant utilisé à la mesure du besoin d'énergie, les féculents restant le carburant dont il ne faut pas abuser sous peine de stockage.

On pourra les manger de toutes les manières et à toutes les sauces pourvu qu'on ne déborde pas de ce sacro-saint petit bol chinois, qu'on peut trouver partout au monde !

Il y a mille et une manières de cuisiner les féculents, et ils peuvent accompagner avec bonheur toutes les viandes, comme par exemple :
– les marrons avec la dinde ;
– les lentilles avec la queue de bœuf ;
– les frites avec les steaks ;

– les pommes de terre à la sarladaise avec le confit de canard ;

– les haricots rouges avec le bœuf (chili con carne).

Le pain et les sandwiches

Au déjeuner, on peut éventuellement remplacer la part de féculent par du pain. Dans ce cas : 50 g de pain (soit 1/4 de baguette). Mais surtout, ne faites pas de sandwich, car vous ne pourriez y inclure suffisamment de protéines animales.
Au contraire, notre petit déjeuner pain-beurre-fromage permet de se préparer un sandwich facile à emporter.

On a donc bien mangé le midi un gros plat de viande accompagné d'un petit bol chinois de féculent et clos le repas par un café ou une infusion, sans sucre ni lait, bien entendu.

Ce repas aussi sage que solide permettra à la journée de s'écouler sans problème.

Selon que cette journée sera calme et sereine ou trépidante et agitée, la faim signalant qu'il est temps de prendre son goûter surviendra plus ou moins tôt, quatre heures au moins après le déjeuner et aussi tard qu'on voudra.

■ *Le déjeuner au restaurant*

Notre vie sociale nous amène souvent à partager un repas professionnel ou amical au restaurant le midi.

S'il est trop compliqué pour vous d'affirmer votre nouveau mode d'alimentation... **adaptez-vous et suivez, avant la lettre, l'alimentation naturelle !**

Dérogez pour une fois au « rien avant » en répartissant votre quantité de protéines animales en deux parts égales : par exemple un plat de viande blanche en entrée, un plat de viande rouge ensuite.

Par contre, évitez la part de saucisson ou de pâté (sans pain), ou une entrée de poisson ou de crustacés, qui seront très insuffisants pour vous nourrir correctement, ainsi que les tomates-mozzarella ou autres entrées fromagères. Prenez carrément un gros plat de poisson gras ou même un plateau de fruits de mer... si vous avez du temps devant vous !

Et si vous ne souffrez pas de problèmes d'insuffisance hépatique ou d'hypercholestérolémie vous pouvez, comme les enfants en croissance et les femmes enceintes ou allaitantes, commencer votre repas par votre hauteur en fromage gras sans pain.

Quelques exemples pour vous donner des idées

• Entrée de viande + plat de viande

– par exemple 100 g de rôti de porc froid avec des cornichons, et une partie en plat, par exemple 150 g de bœuf en daube.

• Entrée de poisson + plat de viande

Si vous avez choisi de ne pas dîner le soir précédent et que le poisson vous manque, vous pouvez vous l'offrir en entrée. Tous les poissons peuvent servir d'entrée à un déjeuner et seront alors à part égale avec la viande, la somme des deux correspondant à votre taille + 100 g.

Par exemple, si vous mesurez 1,70 m :
170 g + 100 g = 270 g.
Soit 135 g de poisson + 135 g de viande.

Voici quelques idées de plats à choisir au restaurant :

Déjeuner au restaurant chinois

Premier plat :
– Omelette
ou
– Crevettes sautées
ou
– Calamars frits...

Deuxième plat :
– Bœuf sauté aux oignons
ou
– Canard laqué
ou
– Poulet au basilic...
+
– 1 petit bol chinois de riz nature ou cantonais
+
– 1 thé (sans sucre)

Déjeuner au restaurant italien

Premier plat :
– Charcuterie : mortadelle, coppa, jambon...

Deuxième plat :
– Escalope de veau au citron
ou
– Foie de veau à la vénitienne...
+
– 1 petit bol chinois de pâtes
+
– 1 café (sans sucre)

Déjeuner au restaurant libanais

Premier plat :
– Kebbe boulettes
ou
– Ailerons de poulet
ou
– Crevettes grillées...

Deuxième plat :
– Kebab
ou
– Chawarma poulet
ou
– Côtelettes d'agneau
ou
– Brochettes
et
– 1 petit bol chinois de hoummos (purée de pois chiche)
+
– 1 café ou thé (sans sucre)

Déjeuner au bistrot

Premier plat :
– Charcuterie : saucisson, pâté... (sans pain)

Deuxième plat :
– Bœuf bourguignon + pommes de terre
ou
– Steak + frites
ou
– Entrecôte + pommes au four
ou
– Bœuf en daube + gnocchi...
Ne pas oublier que la part de féculent ne doit pas dépasser 1 petit bol chinois !

+
– 1 café (sans sucre)

Pensez aussi que vous avez droit à deux repas jokers dans la semaine et que vous pourrez, à ce moment-là, laisser libre cours à vos envies...

■ *Comment rater son déjeuner*

En ingurgitant un sandwich

Même s'il est de la taille d'une demi-baguette, il contiendra trop de sucres lents et pas assez de protéines animales pour caler votre appétit plus de deux heures.

On peut déjeuner court, mais solide et efficace : n'oubliez pas qu'un plat unique, tout prêt, est plus rapide à manger qu'un sandwich. Bien dosé, ce plat riche en protéines apporte l'énergie qui convient pendant les quatre à six heures qui suivent ce repas.

En s'installant pour un déjeuner classique

Entrée, plat, fromage, dessert... Un repas qui n'offre que des désavantages : trop de temps, la quantité remplaçant la qualité, trop de mets différents qui compliquent la tâche de nos organes digestifs.

En le remplaçant par un substitut

Que celui-ci soit un yaourt, une pomme, ou un faux-semblant de repas, il sera générateur de la fatigue précoce de l'après-midi et de ces sautes d'humeur que l'entourage ne devrait pas obligatoirement mettre au compte d'un mauvais caractère.

Votre ligne de conduite sera donc : manger dense, ni trop, ni mal, mais simple. Gardez donc le temps et les folies récréatives de vos envies pour les deux repas de fête auxquels vous avez droit chaque semaine.

Les salades

Dès le printemps et tout au long de l'été, c'est le temps des déjeuners pris en terrasse, « sur le pouce », dans un square, en pleine nature... et la meilleure façon d'augmenter votre tour de hanches, mesdames et demoiselles !
Attention donc aux salades trop riches en végétaux et pas assez nourrissantes qui poussent à trop manger le soir.

Votre premier travail de reconstruction nutritionnelle sera donc de rendre au déjeuner ses lettres de noblesse, donc ne le négligez pas !

Si vous avez intelligemment bien déjeuné le matin, le repas de midi, très nourrissant, bien proportionné à vos efforts et à votre stature, vous permettra d'attendre le goûter sans souffrir... ni somnoler.

LE GOÛTER

La clé de voûte de votre journée

Ah ! ce goûter... Il est la deuxième clé du succès si vous savez le prendre au bon moment. On devra lui accorder, contre toute idée reçue, la même importance que le petit déjeuner dans son rôle de régulateur de l'appétit.

Troisième repas de la journée, relaxant, défatigant et généralement point d'orgue des fins d'après-midi actives, le goûter est un paisible moment de détente et de remise en forme, les enfants ne s'y trompent pas...

C'est lui qui doit satisfaire l'apport en énergie quotidienne dont ont besoin nos organes fatigués par le travail accompli depuis le réveil.

Ce goûter est donc **incontournable**, quelle que soit l'heure à laquelle on le prend. C'est un repas à part entière et on ne doit pas plus l'oublier que le petit déjeuner ou le déjeuner du midi – ce qui ne sera pas le cas du dîner, qui pourra être considérablement allégé, voire supprimé comme on le verra plus loin, en fonction de votre appétit.

Attention, cependant, à ne pas vous croire les victimes d'un nouveau système, mais à réaliser au contraire qu'il vous faut écouter le message de votre corps : si le soir, plus ou moins loin du goûter, vous avez faim, mangez !... Si vous n'avez pas faim, ne mangez pas !

Le goûter comporte, comme tous les autres repas, des protéines, des corps gras, des sucres et des fibres.

Mais il sera cette fois tout végétal, ce qui exclut *a priori* toutes graisses et toutes protéines animales (beurre, crème et lait), donc tous les aliments qui en contiennent, qu'il s'agisse de biscuits, viennoiseries et crèmes en tous genres.

Jamais non plus de yaourts, ni pain + beurre ou fromage, rillettes et autres aliments riches en protéines et graisses animales. Cela exclura donc, au grand dam de certains, les pâtes à tartiner et autres crèmes desserts cachant soigneusement sous d'aimables dehors sucrés une redoutable proportion de graisses animales.

Votre appétit du goûter est déclenché par un petit pic insulinique isolé qui va déclencher une hypoglycémie satisfaite par les sucres. Mais, pour que le rôle apaisant de ce goûter soit pleinement efficace et pour éviter surtout un effet boomerang de l'hypoglycémie, il nous a fallu y ajouter des gras végétaux. Assimilés très rapidement par votre organisme, leur pouvoir de coupe-faim apaisera votre appétit sans perturber la circulation du sang ni les métabolismes cellulaires. On exclura donc également toute idée de se gaver de tartines, galettes, crêpes et autres gaufres.

Le goûter est la réponse à une dépense d'énergie et non pas au besoin de reconstruction cellulaire quotidien de notre organisme. C'est pour cela qu'il ne faut, à aucun prix, en faire un rite, ni l'exagérer. Le dîner sera là s'il le faut et quand il le faudra, pour amener à l'organisme le complément d'un apport nutritionnel s'avérant insuffisant pour assurer sa reconstruction quotidienne, ce qui n'est en aucun cas le but du goûter.

Goûtez donc avec bonheur, mais pas avant d'avoir faim et pas au-delà de votre faim, en respectant les bonnes proportions proposées. Cela vous permettra en même temps de compenser l'absence des desserts habituels pris à la fin des repas et générateurs de catastrophes biologiques elles-mêmes redoutables pour votre santé et votre bien-être.

Précision importante, le goûter est le même pour tout le monde et un enfant de 5 ans très actif pourra éventuellement manger le même goûter qu'un adulte sédentaire de 1,80 m.

Menu du goûter

Gras végétaux :

– 30 g de chocolat noir
ou
– 1/2 petit bol chinois d'olives
ou
– 1/2 petit bol chinois de graines non salées (noix, noisettes, cacahuètes, noix de pécan, pistaches...)
ou
– 1 avocat au sucre ou en vinaigrette
ou
– 1 grosse cuillerée à soupe de beurre de cacahuète

Fruits et dérivés sucrés :

– 1 petit bol chinois de fruits frais
ou
– 1/2 petit bol chinois de fruits secs (abricots, dattes, pruneaux...)
ou
– 2 pommes cuites avec confiture, miel, sucre ou sirop d'érable
ou
– 2 grands verres de jus de fruits naturels
ou
– 1/2 petit bol chinois de confiture et 1/2 petit bol chinois de compote
ou
– 1/2 petit bol chinois de crème de marron
ou
– 2 ou 3 boules de sorbet aux fruits.

La variable de ce goûter n'est pas sa quantité mais le moment où on le prendra. C'est là une des conditions indispensables de la réussite dans votre démarche vers un rééquilibrage correct de votre alimentation et malheureusement la plus fréquemment ignorée. Dans 3 cas d'échecs sur 4, le goûter est en cause, pris trop tôt, ou incomplètement, ou pire encore, superbement ignoré.

À quel moment prendre son goûter ?

Au moins cinq heures après avoir pris le déjeuner, jamais avant d'avoir faim et jamais plus tôt, au risque de souffrir un peu si celui-ci a été trop léger, ce qui vous servira de leçon pour les jours suivants. La survenue précoce de la faim servant d'avertissement et vous signalant ainsi que l'organisme n'a pas été suffisamment nourri au cours du repas du midi.

Un repas très lourd obligera à retarder ce goûter, qu'on prendra à la réapparition de l'appétit, quitte à le faire se substituer au dîner, ce qui sera la preuve d'un déjeuner très abondant.

On ne prend donc pas son « quatre heures » mais son goûter, car il ne s'agit pas d'heure mais de moment, et on placera celui-ci à l'heure où le besoin et non l'envie s'en fait sentir, en évitant surtout de prendre des habitudes horaires immuables.

Je n'ai rien contre le *five o'clock tea* des Anglais, sauf qu'il ne devrait pas immuablement être pris à 17 heures mais à l'heure où l'on a de nouveau faim !

Il vous faudra également obéir scrupuleusement à deux règles...

Surtout, ne sautez pas le goûter !

Et n'allez pas me raconter que vous n'avez pas eu le temps de le prendre puisque, à partir de 16 heures, il n'est assujetti à aucune limite de temps !

Parce que c'est le goûter qui vous permettra de ne pas être affamé le soir et de dîner légèrement, ou même de ne pas dîner si vous n'avez plus faim après un goûter pris tardivement. À l'inverse de toutes les idées reçues, **le goûter est aussi obligatoire que le dîner est facultatif.**

Rien n'empêche, en fait, de manger le gras végétal au goûter et de faire dans la soirée un repas de fruits à volonté. C'est là une façon de se nourrir particulièrement indiquée pour les étudiants travaillant tard le soir, variante nutritionnelle sur laquelle je reviendrai plus loin.

Un seul cas vous autorise à sauter le goûter : si vous sortez de table après un déjeuner pantagruélique et que vous n'avez plus faim jusqu'au lendemain matin. Son rôl,e de coupe-faim n'a alors, à l'évidence, aucune raison d'être utilisé. Cependant, les corps gras végétaux étant seuls des coupe-faim, si vous avez une petite ou une grande envie de fraîcheur, rien ne vous empêchera d'en garder la partie fruits et dérivés sucrés pour une fin de journée ou une soirée plus assoiffée qu'affamée à la suite de notables débordements alimentaires au repas du midi.

Attendre d'avoir faim pour goûter

Même s'il est très tard. Peu importe, en effet, que ce goûter soit pris à l'heure du dîner, voire même du souper, pourvu qu'il reste 2 heures avant le coucher si vous le prenez dans son ensemble, 1 heure avant le coucher si vous choisissez de ne manger que les fruits, beaucoup plus vite assimilés que les gras végétaux.

Quelle est la composition idéale du goûter ?

Pour qu'un goûter atteigne son double but, apaiser et défatiguer, on va y associer :

– **les gras végétaux**, apaisants et dont le pouvoir coupe-faim est bien connu ;

– **les fruits et leurs dérivés sucrés**, dont l'action tonique et défatigante va nous permettre de terminer la journée sans qu'un manque d'efficacité en gâche les dernières heures d'activité.

Les gras végétaux

Les gras végétaux sont d'utiles coupe-faim pour prévenir un excès d'appétit le soir. C'est en effet le soir que l'organisme compensera les déficits nutritionnels de la journée. Si vous n'avez pas mangé avant et pendant les efforts de la journée mais seulement après, ne vous étonnez pas de grossir au lieu de maigrir.

Donc, si vous faites du sport en fin de journée, prenez soin de manger avant celui-ci le gras végétal de votre goûter, en y ajoutant une banane si vous devez faire au moins une heure d'efforts soutenus. Vous mangerez vos fruits après et vous verrez bien si vous avez envie de dîner après.

En dehors de ce cas particulier, le gras végétal doit être accompagné de fruits et de leurs dérivés sucrés. On peut cependant manger le gras végétal seul au goûter et se contenter des fruits pour le repas du soir, si on n'a pas réellement faim. Par contre, manger les fruits sans le chocolat au retour de l'appétit ne le calmera pas suffisamment. Autre erreur classique : manger le chocolat avant d'avoir faim ne servira à rien et ne protègera pas du retour de l'appétit.

Le chocolat

C'est le gras végétal idéal. Le choisir toujours noir, le plus noir possible (minimum 52 % de cacao), de préférence à composition huile de soja + cacao, la mieux tolérée par le foie sans risquer d'en affadir le goût quand il est de bonne qualité.

Il en faut en moyenne **30 g** pour qu'il puisse bien jouer son rôle, et on peut le préférer agrémenté de graines (amandes ou noisettes) ou de fruits (souvent raisins secs).

On évitera le chocolat contenant du gras animal, ce qui exclut totalement les chocolats belges, hollandais ou suisses dits « de fantaisie ».

En ajoutant des graines on ajoute un gras végétal, et en incluant des fruits on ajoute du sucre, ce qui reste donc dans la composition souhaitable d'un goûter bien équilibré.

Si vous n'aimez pas le chocolat

Il y a d'abord **ceux qui ne le supportent pas** : en avaler le moindre petit morceau leur occasionne à chaque fois des maux de tête signifiant que le foie ou la vésicule n'apprécie pas du tout cet aliment très riche en lipides. À ceux-ci, on est obligé de proposer d'autres gras végétaux.

Et puis il y a **ceux qui ne l'aiment pas**, tout simplement parce que le goût très particulier du chocolat noir provoque dans leur bouche une désagréable sensation de gras.

La sapidité, dont dépend la sensation de gras, ne dépend pas seulement des graines mais également du liant qu'on y aura ajouté. C'est lui qui permettra de faire des chocolats le plus secs possible pour éviter une sensation d'écœurement.

Par contre pour **ceux qui n'aiment que le chocolat blanc ou au lait** on le prendra le plus onctueux possible, l'onctuosité entrant pour une grande part dans leurs goûts. C'est en les habituant à un arôme beaucoup plus subtil qu'on les aidera à s'habituer au chocolat noir. Pour ceux-là, on dispose à l'heure actuelle de multiples variétés de chocolats, faits de graines de cacao soigneusement sélectionnées et torréfiées qui donneront des goûts très différents suivant les pays et les régions de production.

Ils s'y habitueront en général si bien qu'ils en viendront même, dans la plupart des cas, à détester celui qu'ils aimaient avant, brûlant sans hésiter ce qu'ils avaient adoré... tout comme les anciens amateurs de café sucré dont ils faisaient d'ailleurs partie.

Il reste heureusement assez de variétés de gras végétaux pour contenter tout le monde, y compris les amateurs de chocolat manquant de ceux-ci ou tout simplement désireux de varier leurs plaisirs.

Optez pour d'autres gras... sans vous martyriser !

– 1 avocat nature, au sucre ou avec une vinaigrette qui sera plutôt à l'huile de noisette ou à l'huile d'olive ;

– ou **1/2 petit bol chinois d'olives noires ou vertes** et à toutes les sauces qu'on voudra ;

– ou **1/2 petit bol chinois de noix, amandes, noisettes, cacahuètes, noix de pécan, pistaches et toutes les graines** qu'on voudra, pourvu qu'elles restent naturelles et ne soient surtout **pas salées** ;

– ou encore **1 grosse cuillerée à soupe de beurre de cacahuète** !

– je connais une patiente, astucieuse et constipée, qui avale tous les jours au goûter **1 grande cuillerée à soupe d'huile d'olive**, ce qui lui permet de satisfaire à mes conseils en s'assurant un bon transit !

■ *Les fruits*

Attention à ne pas créer d'interférence entre les fruits du goûter et les aliments du dîner, c'est risqué pour votre ligne, sauf si vous êtes maigre comme un clou !

Vous pouvez manger tous les fruits, selon la saison, excepté la banane, réservée à l'effort, et que l'on prendra donc avant le sport comme je viens de vous l'expliquer, cours de gymnastique ou séance de piscine par exemple.

Fruits frais, fruits secs, cuits au four, nappés de confiture, de miel, de sirop d'érable, compotes, sorbets d'été, cocktails de jus de fruits…

Le goûter permettra, entre autres avantages, de contrecarrer d'intempestives fringales nocturnes comme les grignotages devant la télé ou au cinéma, mais son rôle essentiel étant de calmer un retour physiologique et tout à fait naturel de l'appétit, il ne faudra surtout pas en ritualiser l'heure, ce qui lui ôterait son but essentiel de coupe-faim. **On va pouvoir les manger tous**, en essayant de respecter les saisons et en évitant les bananes, qui sont un aliment de l'effort et seront prises à des moments particuliers (avant une séance de natation ou un effort physique particulièrement violent).

On prendra donc, selon ses goûts et son humeur :

– **1 petit bol chinois de fruits frais**, en prenant soin de couper en dés ou de mettre en quartiers les gros fruits ;

– ou **1/2 petit bol chinois de fruits secs** : dattes, figues, pruneaux, raisins, abricots… (mais pas les noix, noisettes… qui sont des gras végétaux) et tous les fruits tropicaux séchés qu'on voudra ;

– ou **2 pommes cuites au four nappées de confiture, de miel, de sirop d'érable ou de sucre** ;

– ou **1/2 petit bol chinois de crème de marron**, à ne pas confondre avec la purée de marron qu'on ne sucre pas mais qu'on sale et qu'on mange le midi avec la dinde. N'en mangez pas tous les jours si vous avez tendance à avoir des difficultés de transit intestinal ;

– ou **2 grands verres de jus de fruits frais** ;

– ou **1/2 petit bol chinois de confiture + 1/2 bol de compote**, en les panachant à votre fantaisie.

Ce qui veut dire qu'on va pouvoir continuer à faire la cueillette des mûres en septembre, la récolte des châtaignes en novembre et se livrer au plaisir des préparations sucrées qu'on garde toute l'année dans des bocaux soigneusement étiquetés.

Les confitures bien faites se conservent des années et acquièrent, comme de grands crus, une saveur incroyable.

J'ai encore sur la langue la somptuosité d'une confiture de mirabelle mise en réserve depuis trois ans et qui n'a vécu après l'ouverture de son pot que le temps d'un goûter.

En été, s'il fait très chaud, on peut très bien substituer aux fruits :

– **2 ou 3 boules de sorbet**, au parfum qu'on voudra ;

– et c'est là qu'on permettra aux enfants **un Coca-Cola,** formellement interdit à tout autre moment de la journée.

C'est également au goûter que vous pourrez déguster, si vous en avez envie, les friandises que je vous déconseille aux autres repas.

L'heure des confiseries

Exceptionnellement, c'est à ce moment de la journée que l'on pourra s'offrir quelques petites douceurs sans grands dégâts.

Dans ce cas, on remplacera la part de fruits par :
– 6 calissons d'Aix
ou
– 3 marrons glacés
ou
– 4 loukoums
ou
– 1/2 petit bol chinois de pâtes de fruits
ou
– 1/2 petit bol chinois de dragées

Suivez les saisons, mais laissez-vous aussi guider par vos goûts.

Vous trouverez en page 301 quelques idées de goûter et quelques préparations des ingrédients qui le composent.

Pour faciliter votre transit intestinal

Si vous optez pour un dîner sans poisson ni légumes, il vous faudra non seulement consommer du poisson en entrée au déjeuner du lendemain, mais aussi faire attention à apporter suffisamment de fibres à votre corps. Pour cela, vous choisirez au petit déjeuner du pain au son ou du pain complet, et à l'heure du goûter, en plus de vos parts de gras végétaux et de fruits, vous boirez un cocktail de jus de fruits frais.

Cocktail de fruits frais

Pour 1 personne
– 10 cl de jus d'ananas
– 10 cl de jus de pamplemousse
– 10 cl de jus d'orange
– 1 jus de citron

Le goûter de l'effort

Il existe 2 aliments réservés en principe aux gros efforts et au sport. On prendra, en effet, avant et pendant l'effort des bananes ou des châtaignes. On prendra ainsi :

– 1 banane fraîche ou séchée ;
– ou 1/2 petit bol chinois de crème de marron ;
– ou 1 petit bol chinois de châtaignes grillées avant cha-

que heure de sport soutenu ou chaque 1/2 heure de sport intense.

Quelques recettes plaisir pour le goûter

- Poires au sirop nappées de chocolat, p. 301
- Cassolette de poire au chocolat, p. 302
- Crème de marron au chocolat, p. 302
- Pommes cuites à l'orange, p. 303
- Sorbet aux fraises, p. 304

LE DÎNER

Après une journée bien construite, le repas « ornement »

C'est le moment privilégié pour se retrouver en famille, en couple, entre amis. Hélas, ce plaisir d'être ensemble, de partager le repas vous entraîne souvent dans des agapes dévastatrices pour votre équilibre nutritionnel.

Le dîner, qui ne devrait être qu'un repas complémentaire, devient alors l'ennemi de vos formes. Plaisir de se réunir, oui ! Obligation de trop manger, non ! Restez donc raisonnable jusqu'au bout de la journée. Ce sera d'autant plus facile si vous avez bien mangé aux trois repas qui précèdent. Raisonnable n'étant pas synonyme de « tristounet », vous verrez que l'on peut déguster des plats savoureux.

Le dîner embellit la journée mais, comme je l'ai dit auparavant, **il n'est en aucun cas obligatoire**. Vous le prendrez seulement si la faim vous vient en fin de journée, mais je suis sûr qu'ayant pris l'habitude de goûter, vous apprécierez une diète de temps en temps ou le joker d'un repas de fruits.

S'il a lieu pour des raisons sociales ou familiales, il sera **léger**, mais pourra être abondant et à la mesure de votre faim.

Il sera toujours plus riche en protéines animales qu'en végétaux, tout comme celui du midi est plus riche en protéines qu'en féculents, et son composant principal,

parce que le plus utile, **sera sans conteste le poisson** ou les fruits de mer, en quantité dépendante de votre envie. Vous pourrez les déguster préparés à votre goût, en sauce ou pas, et en manger autant qu'il vous plaira !

Si cela vous fait plaisir, et quelle que soit votre taille, vous pourrez remplacer les légumes verts par une assiette de salade verte.

Mais, surtout, jamais de potages, qu'ils soient « faits maison » ou « industriels », avec ou sans féculents.

Et, pour être tout à fait raisonnable, ne choisissez la viande que si votre appétit est limité. Réservez le poisson et les fruits de mer aux grosses faims puisque vous pouvez vous en rassasier sans risque.

Menu du dîner

(pour une personne mesurant 1,70 m, ayant un métier actif)

– Poisson ou fruits de mer : à volonté
la moyenne raisonnable étant 100 g de plus que sa taille
soit pour une personne de 1,70 m : 170 + 100 = 270 g

ou

– Viande maigre : 40 g de moins que sa taille en cm
soit pour une personne de 1,70 m : 170 – 40 = 130 g

– Légumes verts : 1 petit bol chinois

Pas d'entrée, pas de pain, pas de salade (sauf si elle remplace le bol de légumes), pas de fromage, pas de dessert.

Dîner
Quantités recommandées

Les quantités de viande blanche et volailles sont à respecter suivant votre taille, que vous soyez homme ou femme, jeune ou vieux, l'âge et le sexe ne devant pas entrer en ligne de compte. Ne pouvant en aucun cas dépasser 40 g de moins que votre hauteur, elles sont réservées aux soirs de petite faim.

Poissons (à volonté)		
	Votre taille	**Selon votre appétit** (moyenne pour toutes les tranches d'activité)
Poisson gras	1,50 m	250 g
	1,60 m	260 g
	1,70 m	270 g
	1,80 m	280 g
	1,90 m	290 g
Poisson maigre	1,50 m	250 g
	1,60 m	260 g
	1,70 m	270 g
	1,80 m	280 g
	1,90 m	290 g
Viandes blanches et volailles		
	Votre taille	**Quantités à ne pas dépasser**
Viande blanche et volailles	1,50 m	110 g
	1,60 m	120 g
	1,70 m	130 g
	1,80 m	140 g
	1,90 m	150 g
Légumes verts		
	Votre taille	**Pour toutes les tranches d'activité**
	1,50 m	1/2 petit bol chinois de 25 cl
	1,60 m	2/3 de petit bol chinois de 25 cl
	1,70 m	1 petit bol chinois à ras de 25 cl
	1,80 m	1 petit bol chinois bien plein (5/4)
	1,90 m	1 bol de 33 cl

■ *Le poisson*

La portion variera, bien entendu, en fonction de votre taille et de votre appétit, **la moyenne s'établissant, comme le midi, à 100 g de plus que la hauteur en centimètres, donc 270 g pour une personne de 1,70 m.**

On choisira les **poissons plutôt gras si l'on a faim**, en sauce ou pas selon votre fantaisie, et surtout on en mangera à la mesure de son appétit.

Quelques recettes de poisson et fruits de mer pour le dîner

- **Saumon à l'orange, p. 305**
- **Moules marinière, p. 307**
- **Blanquette de lotte safranée aux fonds d'artichauts, p. 309**
- **Cabillaud au curry, p. 311**
- **Artichauts aux fruits de mer, p. 312**
- **Papillote de julienne sur lit de poireaux, p. 313**

Le poisson a cette merveilleuse qualité de ne donner ni fesses, ni taille, ni poitrine.

Il s'élimine beaucoup plus rapidement que tout autre aliment animal, ce qui explique pourquoi je n'ai pas conseillé d'en manger le midi. Quelle que soit la quantité ingérée, vous risqueriez à tout coup d'avoir faim très rapidement dans l'après-midi.

La légèreté des protéines de poisson rend celui-ci éminemment digeste : un poisson très gras sera toujours moins riche en lipides que la plus maigre des viandes. Ces graisses de poisson, ces fameux Oméga 3 et Oméga 6, sont particulièrement utiles au fonctionnement et à la protection du cerveau, ce qui explique pourquoi le poisson est le meilleur aliment du soir : il sera rapidement métabolisé par l'estomac et ira gentiment envelopper les neurones au lieu d'être stocké dans le tronc comme le sont les viandes.

Il n'ira donc ni dans les seins, ni dans les fesses, ni dans la taille.

Si vous n'aimez pas le poisson...

Certains n'aiment pas trop le poisson, d'autres le détestent cordialement, en général à cause d'un vieux souvenir d'enfance d'arête coincée dans la gorge, que l'inconscient refuse à tout jamais d'accepter comme un incident mineur.

À ceux qui sont réticents, on pourra proposer des recettes de **poissons fermes**, à la densité très proche de la viande, et suffisamment relevées pour que, progressivement, on puisse y prendre goût, ou encore le **remplacement du poisson par des viandes maigres.**

Mais attention cependant de respecter deux règles précises.

Première règle : les viandes ne pourront être que maigres, avec cependant la possibilité d'y inclure le porc en rôti, côtelettes ou échines, les volailles sans la peau et les gibiers.

Deuxième règle : contrairement à ce qui est permis pour les poissons et fruits de mer, vous ne pourrez dépasser une quantité de viande inférieure de 40 g à votre taille.

Ses bienfaits

– La légèreté des protéines rend le poisson très digeste.

– Il s'élimine rapidement et ne donne ni fesses, ni taille, ni poitrine.

Poissons gras	Poissons maigres
Espadon	Brochet
Haddock	Cabillaud
Hareng	Colin
Lotte	Lieu
Maquereau	Limande
Morue	Merlan
Sardine	Raie
Saumon	Rouget
Thon	Sole
Truite	Turbot

■ *Les viandes maigres*

On veillera à ne pas dépasser 40 g en dessous de la hauteur en centimètres : pour une personne de 1,70 m, 130 g suffiront donc.

Les viandes maigres seront un recours qui permettra d'**éviter le végétalisme** du soir, générateur de ventre, de fesses et de jambes enflées.

Car, rappelons-le, les légumes sont par nature des aliments très minéralisés. Riches en eau et en sels minéraux, les légumes vont être, si l'on en abuse, les grands pourvoyeurs de cellulite, d'autant qu'en général on les assaisonne pour leur donner du goût, ce qui favorise encore plus la rétention d'eau. Cette eau incluse dans le bol alimentaire va être libérée des cellules qui la contiennent assez tardivement dans l'intestin et absorbée en même temps que les sels minéraux pour être stockée dans les espaces intercellulaires... là où cela provoque ce disgracieux molleton !

À l'évidence, un repas de légumes est donc déconseillé, et ceux-ci ne doivent être que le complément d'un repas de poisson ou de viande maigre, car même si l'on est très amateur de poisson, des viandes maigres le soir amènent une variation, évitant ainsi les automatismes et la lassitude qu'ils risquent d'engendrer.

Quelles sont les viandes maigres ?

– porc (jambon blanc, côtes de porc) ;
– veau ;
– volaille ;
– lapin ;
– gibier.

Attention cependant à certains pièges :

– le gibier d'élevage est gras et se mangera le midi ;

– certains morceaux de porc sont très gras, il faudra donc les éviter et se contenter le soir du jambon blanc et des côtes, qu'on cuira en les passant de préférence sous le gril.

– par contre le canard, volatile gras s'il en est, peut se manger le soir car sa viande, riche en graisses Oméga 3 est particulièrement bien tolérée par l'organisme, ceci expliquant le fameux paradoxe des Périgourdins, dévoreurs de canard à toute heure et protégés pendant toute leur vie des accidents vasculaires.

La meilleure accommodation des viandes maigres

Les viandes blanches doivent être considérées comme une petite récréation culinaire de gourmet averti.

On devra les préparer avec autant de soin et d'agrément qu'on le souhaite pour **ne pas en faire un repas punition.**

On restera en revanche modeste sur la quantité des sauces, qui sont plutôt recommandées le midi pour renforcer les qualités nutritives des viandes blanches, sans cependant les exclure.

La côte de porc, par exemple, risque d'être fort sèche si on ne lui apporte pas quelque aménagement culinaire. Pas de pané ni de chapelure, et plutôt une cuisson en papillote, au gril, au four ou, à la rigueur, à la poêle.

Pensez aux différentes sortes de moutardes, à toutes les fines herbes, à la menthe, qui relèvent le goût des viandes sans apporter de calories supplémentaires...

Recettes de viandes pour le dîner

- **Cuisse de lapin au cidre et tagliatelles de courgette, p. 314**
- **Blanc de volaille aux petits légumes, p. 315**
- **Côtes de porc, sauce curry et oignons, p. 317**
- **Magrets de canard aux brocolis et sauce anchois, p. 318**

Les viandes maigres resteront un aliment occasionnel du soir et, contrairement au poisson dont on pourra faire une orgie, **on ne devra jamais dépasser la part correspondant aux normes indiquées plus haut.**

Une sage conclusion à retenir : **ne mangez de la viande blanche que si vous n'avez pas trop faim.**

Le repas de fruits de mer

Rien ne vous empêche non plus de vous régaler d'un plateau de fruits de mer (idéal pour la maîtresse de maison quand on reçoit), de moules marinière ou de homard Thermidor ! Si vous n'avez pas envie de cuisiner le soir ou si un repas d'affaires ou la venue d'amis vous obligent à vous mettre à table, composez un beau plateau de fruits de mer à base d'huîtres, de moules, de palourdes, de coques, de crabes, d'oursins, de tourteaux...

Si vous avez la sagesse de vous passer de mayonnaise et de pain beurré, vous offrirez à votre organisme un bon bol d'iode et un repas savoureux et léger, sans aucun préjudice pour lui.

Du poisson, des fruits de mer ou de la viande maigre... sinon rien !

Car ne manger que des végétaux est inutile, je vous le dis tout net, **mieux vaut ne pas manger le soir que de faire un repas de légumes.**

Pire encore sera le repas de laitages, redoutable pourvoyeur en cholestérol.

« Des allégés, alors ? » me direz-vous. Je vous répondrai qu'il n'y a pas plus de raison de tricher avec son corps le soir plutôt que le matin.

Un dîner de ces faux amis, qui font seulement semblant de vous nourrir, fera dépenser à votre organisme plus d'énergie qu'il ne lui en aura apporté, lui faisant courir le risque fréquent de redoutables fringales nocturnes.

Restez donc naturels, vous ne vous en porterez que mieux !

■ *Les légumes verts*

Ils viennent compléter le gros plat de poisson ou le petit plat de viande maigre, et on les mesurera comme les féculents du midi, en remplissant **un petit bol chinois jusqu'à ras bord.**

On les dénomme verts, mais attention à la couleur !

Paradoxalement, certains légumes rouges comme les tomates, les carottes et les betteraves sont bien répertoriés dans la catégorie des verts, et certains légumes de couleur verte, comme les petits pois et les flageolets, sont assurément des féculents.

On les dit « frais », mais les délicieuses pommes de terre nouvelles sont des féculents, d'où un insoluble casse-tête pour certains !

Pour éviter toute erreur, nous avons démêlé cet imbroglio en tranchant résolument ce nœud gordien culinaire.

Tout légume susceptible de faire de la farine se mange le midi, et tous les autres le soir. Crus, cuits, chauds, froids, grillés, en sauce, en vinaigrette, toutes les fantaisies vous sont permises à condition bien sûr d'en respecter les quantités raisonnables.

C'est clair, net, précis, et a surtout le mérite d'être simple, ce qui vous permettra de ne pas vous compliquer inutilement l'existence.

Le soir, on mangera donc toutes les plantes potagères

autres que les farineux, et on en consommera tout ou partie :

– les racines : des navets, betteraves, salsifis...
– les feuilles : des choux, épinards, salades, oseille...
– les tiges : des poireaux, céleris, asperges...
– les fleurs : des artichauts...
– les fruits : des courgettes, concombres, poivrons...

Comment les rendre attrayants

On me dit parfois : « Oh ! vous savez, moi, les légumes... » Suit la moue un peu dédaigneuse de quelqu'un ne sachant pas en tirer parti pour rendre savoureux un plat qui serait banal sans eux.

Et pourtant, que de variétés dans ces légumes, qu'on pourra manger :

– cuits ou crus ;
– chauds ou froids ;

et préparer de toutes les manières :

– grillés, frits, braisés, bouillis, à la vapeur...
– en sauce : de toutes sortes ;
– en vinaigrette : chaude ou froide.

Additif ou complément ?

Voir l'encadré p. 127.

N'oubliez pas qu'un légume cuit est toujours plus dense qu'un légume cru, tout simplement parce qu'on l'a débarrassé d'une grande partie de son eau. C'est pour cela qu'on pourra se contenter de trois poireaux vinaigrette mais certainement pas de trois feuilles de salade... Souvenez-vous des kilos de plume et des kilos de plomb !

D'autre part, on aura toujours tendance à moins saler les légumes cuits que les légumes crus dont la fadeur naturelle aura besoin d'être relevée.

Voilà pourquoi les débauches estivales de salades et crudités font que, rituellement en automne, phlébologues et gastro-entérologues sont débordés de travail, les premiers occupés à dégonfler des jambes enflées et les seconds à soulager les intestins douloureux saturés de végétaux crus ingérés en beaucoup trop grosse quantité pendant l'été.

Légumes cuisinés

– Champignons à l'échalote, p. 319
– Courgettes à l'orientale, p. 320
– Endives braisées, p. 321
– Tomates sur le gril, p. 322

Un cas à part : les champignons

Mystérieux évocateurs de forêts et de prés... même s'ils ont été cultivés dans une cave !

La vue des trompettes-de-la-mort sur un étal m'évoque irrésistiblement la fine odeur et la pénombre troublante des sous-bois du pays de Caux, celle des morilles la lumière dorée des flancs de montagne autour de Castellane où m'emmenait en grand secret mon ami Jeannot, enfant du pays, me prouvant en cela son immense amitié... car une cache à morilles en principe ne se révèle jamais à quiconque !

Délicats et discrets accompagnements, aussi bien des poissons que des viandes, les champignons sont très peu nourrissants, ce qui permet de les ajouter à tous les plats. Attention cependant à la façon de les préparer suivant le moment de la journée ! Les cèpes à la bordelaise ne me paraissent pas précisément indiqués pour un repas du soir, tout comme les morilles bien gorgées de la crème qui nappe une savoureuse escalope vallée d'Auge.

■ *Vous avez décidé de ne pas dîner*

Je l'ai écrit plus haut, rien ne vous oblige à dîner de façon conventionnelle. Si vous le souhaitez, parce que vous avez pris votre goûter très tard, vous pouvez sauter le repas du soir.

Ne pas oublier le poisson et les légumes

Si vous avez décidé de ne pas dîner dans le but de mincir plus vite, ne supprimez pas pour autant le poisson et les légumes de votre alimentation.

– Poisson : panachez à part égale poisson et viande au déjeuner du lendemain et prenez le poisson en entrée (tous les poissons peuvent servir d'entrée à un déjeuner).

– Légumes : pour avoir assez de fibres, choisissez bien votre pain du matin : au son, complet... en évitant le pain blanc. Et buvez au goûter un cocktail de jus de fruits (recette p. 160).

Veillez donc à bien gérer vos trois premiers repas afin de ne pas risquer de trouver votre dîner trop succinct. Mais j'y pense, vous qui n'aimez pas le poisson, une boîte de thon aux tomates, de sardines à l'huile, de maquereaux au vin blanc ou toutes autres conserves de poisson, vous tenterait peut-être ?

Pour éviter d'intempestifs dérapages, une précision importante : le soir, on ne mangera jamais d'œufs, jamais de charcuterie, jamais d'abats et surtout jamais, au grand jamais, de yaourt sous prétexte de manger léger ! Le yaourt, comme tous les laitages sauf le fromage, étant formellement contre-indiqué le soir et à toute heure du jour ou de la nuit.

La quantité de légumes verts, mesurée cuite, sera exactement la même que celle des féculents du midi, le bol chinois de 25 cl servant également de référence. Elle restera la même à taille égale, qu'on ait dépensé peu ou pas d'énergie, le poisson et les fruits de mer étant destinés à compenser les excès d'appétit, mais pas les autres aliments du dîner.

Le joker du dîner sucré

Vous pouvez aussi décider de manger les gras végétaux (chocolat noir, graines, olives ou avocat) à l'heure du goûter et prolonger la soirée en vous préparant un dîner de fruits.

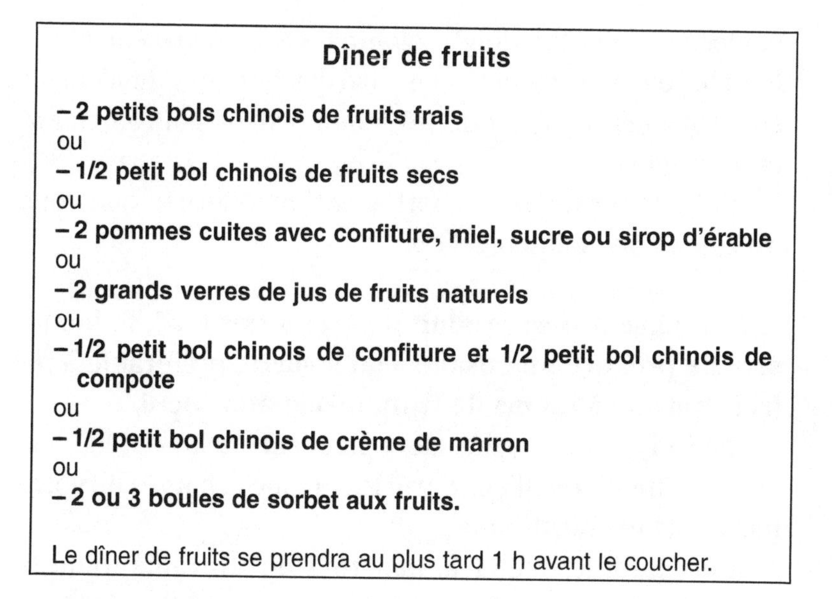

Dîner de fruits

– 2 petits bols chinois de fruits frais
ou
– 1/2 petit bol chinois de fruits secs
ou
– 2 pommes cuites avec confiture, miel, sucre ou sirop d'érable
ou
– 2 grands verres de jus de fruits naturels
ou
– 1/2 petit bol chinois de confiture et 1/2 petit bol chinois de compote
ou
– 1/2 petit bol chinois de crème de marron
ou
– 2 ou 3 boules de sorbet aux fruits.

Le dîner de fruits se prendra au plus tard 1 h avant le coucher.

■ *La fin de soirée*

On a fait un très bon goûter et préféré ne pas dîner, ou l'on a goûté légèrement et bien dîné, mais la soirée s'est prolongée plus longtemps qu'on ne l'avait prévu.

C'est là que risque de se refermer le piège des calories nocturnes, encore plus redoutables que les bonbons consolateurs dans la journée, ou les desserts fétiches à la fin des repas.

Ah ! ces desserts fétiches ! Entre les hommes mûrs qui vous disent qu'ils ne peuvent terminer sans une petite chose sucrée, ou ce charmant jeune homme déclarant au cours d'une émission télévisée qu'il ne pourrait à aucun prix se passer de ses deux petits-suisses du soir (avec le papier qui colle aux doigts, ajoute-t-il avec ravissement !)... Il y a le sein maternel et l'angoisse des hommes, finalement souvent plus fragiles que les femmes dans l'affrontement du quotidien.

Alors ne terminez pas sottement une journée que vous avez gérée avec intelligence.

Si vraiment il se produit un creux très tard, le mieux sera de prendre une tisane à goût sucré, préférable à un fruit frais ou à un jus de fruit, même non sucré.

Celle-ci permettra de clore habilement la soirée sans remettre inutilement au travail les organes chargés de votre métabolisme nutritionnel.

Il est tard, le foie et le pancréas ont travaillé toute la journée pour gérer le fonctionnement et l'entretien de votre corps, ils n'ont qu'une envie, c'est de remettre la cuisine en ordre pendant que les reins font la vaisselle, et d'aller se coucher pour profiter d'un repos bien mérité.

Le cerveau, lui, piaffe dans son atelier de peintre où il a travaillé toute la journée et voudrait bien descendre jouer dans la cour pour s'amuser gentiment en s'inventant des rêves...

De l'eau colorée, chaude ou froide, ne gênera personne, un peu de sucre, s'il n'est pas recommandé, ne provoquera cependant pas de révolution... Mais le gras des yaourts ou le gruyère de la soupe à l'oignon vont franchement écœurer tout le monde ! Dans ce cas, le foie devra en effet se remettre au travail pour gérer ce gras, appelant à l'aide le pancréas s'il y avait du pain dans la soupe et obligeant le cerveau à rester sous les toits, ce qui va mettre celui-ci de mauvaise humeur jusqu'au matin...

Ne vous étonnez donc plus des cauchemars qui dérangent vos nuits quand vous terminez mal vos soirées.

Plutôt que de provoquer cette involontaire pétaudière, partez sur la pointe des pieds sans déranger personne et, juste avant de vous coucher, buvez un grand verre d'eau pour finir de nettoyer votre estomac, ce qui vous permettra d'aller vous nicher dans les bras de Morphée avec un soupir d'aise. Demain, il fera jour, et vous pourrez au lever, à la mesure de votre faim, vous faire tous les plaisirs que je vous ai déjà décrits.

Bonne nuit ! Faites de beaux rêves, je vous prépare le tableau de ce qu'il est convenable de manger pour que votre journée de demain et toutes celles qui suivront soient bien remplies.

CONSEILS D'AMI

Pour ne pas dériver, de la discipline !

Soyons nets : « **Ce qui n'est pas écrit n'est pas autorisé !** » Ce qui veut dire que si ce n'est pas dans la liste, c'est **non**, et nous oblige à exclure toute entorse au programme.

Mais, pour garder le moral, de la fantaisie !

Ne jamais rester bloqué sur une liste trop restreinte d'aliments : s'il faut respecter les proportions entre animal et végétal, il ne faudra cependant pas oublier de varier le plus possible la composition des plats pour éviter un effet de lassitude.

Et pour la joie de vivre, les coups de folie !

Deux fois par semaine, pas le même jour, repas libre, y compris les entrées, les desserts et les boissons, qu'elles soient alcoolisées ou pas... que je vous invite tous à boire à ma santé !

Il y a quatorze repas dans la semaine :

– douze pour que votre corps soit en forme ;

– et les deux autres pour que votre tête le soit également !

Souvenez-vous : je vous veux tous **heu-reux** ! Comment le seriez-vous s'il n'y avait plus dans votre semaine des instants de bonheur et des moments de folie ?

Sur les bords de la Seine, à Caudebec-en-Caux, le restaurant de la Marine, connu dans toute la Normandie, propose depuis début 2001 des plats directement issus du livre *230 Recettes gourmandes pour mincir sur mesure*, que j'ai écrit en étroite collaboration avec Guylène Neveu-Delabos.

Nous sommes là pour vous aider et vous rendre votre sérénité, pas pour vous punir. Et pour bien vous en convaincre, nous avons ajouté aux plats de tous les jours, dans les recettes mensuelles de l'institut, des desserts de fête, des cafés de fête et des menus somptueux dont vous vous régalerez avec d'autant plus de plaisir qu'ils sont exceptionnels. Ainsi ce repas de Noël dont je garde un souvenir de gourmet comblé et que vous trouverez en page 323.

Menu de Noël
Soufflé au crabe
Dinde aux épices
Mousse au citron

Quelles que soient vos situations et vos conditions d'existence, la conclusion est qu'il faut, en toutes circonstances, savoir adapter ses repas à ses efforts physiques et intellectuels en sachant faire passer son instinct avant ses envies.

Mais la meilleure façon d'éviter les problèmes est de savoir comprendre les signaux que votre corps vous envoie quand sa situation devient critique. Faim, soif, fatigue, excès ou carences entraînent chacun des sensations plus ou moins perceptibles de malaise, de douleur ou de gêne.

Malheureusement, on sait trop rarement les interpréter et plus rarement encore y obéir, même s'ils sont de précieux indicateurs permettant de corriger des erreurs ou des oublis.

Cependant, certains sont indispensables à connaître si l'on veut gérer sans à-coups son poids et sa silhouette. Nous allons donc vous aider à reconnaître ces signes d'alerte.

La journée type

Attention : les quantités varient selon votre taille et votre activité physique. Remplissez votre feuille de journée type personnelle (page 184) après avoir consulté les tableaux correspondant à ces repas.

Le petit déjeuner (tableau p. 100)
- 60 à 140 g de tous les fromages qu'on voudra ;
- 50 à 90 g de pain frais ou grillé ;
- 10 à 20 g de beurre doux ou salé ;
- thé, café, infusion, tisane, eau plate ou pétillante... sans lait ni sucre.

Le déjeuner (tableau p. 123)
- 150 à 290 g de viande rouge ;

– ou 170 à 310 g de charcuterie ;
– ou 190 à 350 g de viande blanche ou volaille ;
– ou 1 à 7 œufs en omelette, durs, mollets, brouillés... ;
– ou 100 à 150 g de poisson et 100 à 150 g de viande ;
- 1/2 à 2 petits bols chinois de féculents cuits (pâtes, riz, purée, frites...), chauds ou froids, même au beurre ou en vinaigrette. On peut remplacer par 50 g de pain.

Le goûter
À partir de 16 heures et aussi tard qu'on voudra :
- **des gras végétaux :**

– 30 g de chocolat noir ;
– ou 1/2 petit bol chinois de graines non salées (noix, noisettes, pignons, sésame, noix de pécan, pistaches, cacahuètes, noix de cajou...) ;
– ou 1/2 petit bol chinois d'olives ;
– ou 1 avocat au sucre ou à la vinaigrette.

• des fruits et dérivés sucrés :
– 1 petit bol chinois de fruits frais ;
– ou 1/2 petit bol chinois de fruits secs (raisins, abricots, figues, dattes, fruits exotiques...) ;
– ou 2 pommes cuites avec confiture, miel, sirop d'érable, etc. ;
– ou 2 grands verres de jus de fruits naturel...

Le dîner (tableau p. 164)
• si l'on n'a pas faim : rien... à condition de penser à boire ;
• si l'on a une petite faim : poisson maigre ou fruits de mer à volonté ;
– ou 190 à 270 g de viande blanche ou volaille, de préférence sans sauce ;
• si l'on a très faim : poisson gras à volonté, en sauce ou pas ;
• 1/2 petit bol chinois à 1 bol de 33 cl de légumes verts toujours cuits en hiver, cuits ou crus en été, et qui peuvent être dans les deux cas en vinaigrette.

Les boissons
Je l'ai dit pour le petit déjeuner, et c'est valable pour **toute la journée, tous les jours de la semaine, on boira à volonté** : eau plate ou pétillante, thé, café, tisane sans lait ni sucre et, bien entendu, aucune autre boisson, pas plus alcoolisée qu'artificielle. Donc **pas de vin**, à l'exception bien sûr des deux repas joker.

2 repas joker par semaine
Pensez aussi que vous avez droit à deux repas joker dans la semaine et que vous pourrez à ce moment-là laisser libre cours à vos envies... Tout est permis.

ET 1 joker de plus pour les esclaves des laitages...
Pour ceux-là, le dimanche matin, ou un autre matin de congé, donc une seule fois par semaine :
• 4 yaourts au lait entier, natures, avec, dans chaque, 1 petite cuil. à café de crème ;
– ou 1/2 litre de lait entier et 2 yaourts nature + les 2 petites cuil. à café de crème ;
– ou 200 g de fromage blanc entier + 1 cuil. à soupe de crème.

La journée type personnelle selon votre taille et votre activité

Consultez les tableaux correspondant aux différents repas et inscrivez les quantités recommandées, selon votre hauteur et votre activité physique.

Le petit déjeuner (tableau p. 100)
- .... g de tous les fromages qu'on voudra ;
- .... g de pain frais ou grillé ;
- 10 à 20 g (selon votre goût) de beurre doux ou salé ;
  + (si matinée longue).......... œufs et/ou.......... g de charcuterie ;
- thé, café, infusion, tisane, eau plate ou pétillante... sans lait ni sucre.

Le déjeuner (tableau p. 123)
- .... g de viande rouge ;
- – ou.......... g de charcuterie ;
- – ou.......... g de viande blanche ou volaille ;
- – ou.......... œufs en omelette, durs, mollets, brouillés... ;
- – ou.......... g de poisson et.......... g de viande ;
- .... petit bol chinois de féculents cuits (pâtes, riz, purée, frites...), chauds ou froids, même au beurre ou en vinaigrette. On peut remplacer par 50 g de pain.

Le goûter
À partir de 16 heures et aussi tard qu'on voudra, c'est le même pour tout le monde !
- **des gras végétaux :**
- – 30 g de chocolat noir ;
- – ou 1/2 petit bol chinois de graines non salées (noix, noisettes, pignons, sésame, noix de pécan, pistaches, cacahuètes, noix de cajou...) ;
- – ou 1/2 petit bol chinois d'olives ;
- – ou 1 avocat au sucre ou à la vinaigrette.
- **des fruits et dérivés sucrés :**
- – 1 petit bol chinois de fruits frais ;
- – ou 1/2 petit bol chinois de fruits secs (raisins, abricots, figues, dattes, fruits exotiques ;
- – ou 2 pommes cuites avec confiture, miel, sirop d'érable, etc. ;
- – ou 2 grands verres de jus de fruits naturel...

Le dîner (tableau p. 164)
- si l'on n'a pas faim : rien... à condition de penser à boire ;
- si l'on a une petite faim : poisson maigre ou fruits de mer à volonté ;
- – ou.......... g de viande blanche ou volaille, de préférence sans sauce ;
- si l'on a très faim : poisson gras à volonté, en sauce ou pas ;
- .... de légumes verts toujours cuits en hiver, cuits ou crus en été, et qui peuvent être dans les deux cas en vinaigrette.

Les boissons
Je l'ai dit pour le petit déjeuner, et c'est valable pour **toute la journée, tous les jours de la semaine, on boira à volonté** : eau plate ou pétillante, thé, café, tisane sans lait ni sucre et, bien entendu, aucune autre boisson, pas plus alcoolisée qu'artificielle. Donc **pas de vin**, à l'exception bien sûr des deux repas joker.

2 repas joker par semaine
Pensez aussi que vous avez droit à deux repas joker dans la semaine et que vous pourrez à ce moment-là laisser libre cours à vos envies... Tout est permis y compris entrée, dessert, apéritif et vin à table.

5

Comment suivre ma méthode dans les meilleures conditions

APPRENDRE
À GÉRER LES SIGNAUX D'ALERTE

Ce qu'il faut avant tout, c'est comprendre les messages que vous envoie votre corps au cours de la journée et donc savoir l'écouter.

Celui-ci pourra en effet aussi bien vous remercier par une sensation de bien-être que vous faire des reproches en vous adressant des sensations diverses d'inconfort… allant jusqu'au retour à l'envoyeur !

■ *Les messagers du soir*

C'est au repas du soir qu'on pourra le plus facilement juger si la journée a été bien ou mal gérée et en tirer des leçons pour le lendemain.

En effet, si vous avez trop faim au dîner, c'est qu'il a été précédé de trois erreurs possibles.

– Soit vous avez sauté le petit déjeuner ou le goûter, ce qui est une grave erreur car les repas suivants ne pourront en aucun cas compenser leur absence, même si vous augmentez leur quantité.

Ceux-ci contiennent en effet chacun un **coupe-faim natu-**

rel destiné à éviter les grignotages et un excès d'appétit aux repas qui les suivent :

– le fromage du matin, corps gras animal ;

– le chocolat du goûter, corps gras végétal.

Ceci vous fait comprendre maintenant pourquoi j'ai tant insisté sur ces deux repas clés de la chrono-nutrition, permettant de bien la gérer.

– Soit vous avez négligé votre déjeuner du midi, ce qui n'est pas plus malin car vous allez ressentir dès le début de l'après-midi une faim dévorante, vous poussant à grignoter toute la journée, sans que vous puissiez réussir à la calmer.

– Soit vos repas n'ont pas été assez riches en leurs composants indispensables :

– lipides animaux le matin ;

– protéines animales le midi ;

– gras végétaux au goûter.

Cette erreur est d'ailleurs le plus fréquemment rencontrée chez les femmes victimes de cette coutume ancestrale de grignoter les restes et d'aller chercher ensuite des baies ou des racines pour compléter un bol alimentaire trop restreint.

Extraordinaire atavisme qui les pousse encore à préférer les végétaux... même si elles ont parfaitement compris la nécessité d'une nourriture beaucoup plus carnivore et peuvent maintenant manger autant de protéines qu'il leur est nécessaire.

Dans les deux cas, la meilleure façon de calmer son appétit le soir sans provoquer des stockages intempestifs sera de **manger autant de poisson gras qu'on aura faim, même en sauce**.

En apportant des lipides Oméga 3 et 6, éminemment digestes et utiles à toute heure, on évitera l'assimilation dangereuse d'autres graisses animales et de protéines lourdes. La plus grosse erreur consistant à manger le soir la viande que l'on n'a pas mangée à midi ou, pis encore, le fromage du matin.

On s'évitera également une nuit difficile, l'excès le soir de corps gras autres que ceux des poissons étant dans la nuit fort mal géré par l'estomac, que ce soit de la langue sauce piquante, un confit de canard, ou pis encore, un gros steak.

L'important est de ne surtout pas croire qu'on peut négliger sans risque les impératifs de la chrono-nutrition dans la gestion du quotidien, tout particulièrement le soir. Souvenez-vous de ces cauchemars qui suivent un dîner pas forcément trop abondant mais beaucoup trop gras : parce qu'on n'a pas su ou pas voulu obéir à son estomac, quand celui-ci vous disait que cet aliment-là ne lui convenait pas, il va vous le rappeler toute la nuit, vous faisant regretter de ne pas l'avoir écouté !

Il faut savoir interpréter la faim du soir, et surtout apprendre à la calmer.

■ *L'alarme du matin*

Si l'on n'a pas faim le matin, c'est qu'on a trop mangé le soir, ou trop tard, ou les deux. Cela promet une journée épouvantable si vous n'avez pas le courage de vous forcer à manger quand même entièrement votre petit déjeuner.

Si vous ne le faites pas, vous aurez presque à coup sûr affreusement faim le midi. À moins de manger alors comme un goinfre, ce qui n'est pas évident, vous aurez encore plus faim le soir, entrant alors inéluctablement dans la spirale infernale dont il faut justement que vous sortiez à tout prix.

■ *Les signaux de la journée*

L'appétit du midi est normal et doit être calmé sans états d'âme ni complexes avec la viande.

Par contre, si vous n'avez pas faim parce que vous avez trop mangé le matin, ou parce qu'un dîner trop somptueux la veille laisse encore des traces, ne faites surtout pas l'erreur qui consisterait à sauter, ni même de réduire, le repas du midi.

Le goûter, que vous serez alors obligés de prendre beaucoup plus tôt, ne suffirait sûrement pas à vous empêcher d'avoir anormalement faim le soir... et vous seriez ramenés au problème précédent !

Ce goûter devra, quant à lui, être respecté en toute circonstance, et vous n'aurez aucune excuse pour le sauter puisqu'il sera pris aussi tard que vous le voudrez ! Il peut se substituer au dîner, jamais l'inverse, sous peine de rendre celui-ci trop abondant, ce qui nous ferait repartir dans la spirale du : je ne mange pas assez... donc je mange trop !

■ *La leçon à retenir est donc simple*

Quelle que soit la façon dont on essaiera de tourner les règles de la chrono-nutrition, on aura droit, dans tous les cas, à un imparable effet boomerang. Toute carence provoquée consciemment ou non sera suivie par votre organisme d'un restockage aussi consciencieux qu'indésirable.

Mais hélas, tout stockage par imprudence n'entraînera jamais le phénomène inverse, et vous garderez vos centimètres et vos kilos. Soyez donc prudents dans vos comportements nutritionnels, ce sera sans aucun doute le commencement de la sagesse !

On se méfiera notamment des petites fantaisies répétées qu'on s'autorise en pensant qu'elles passeront inaperçues mais qui sont génératrices, à plus ou moins brève échéance, de grandes prises de volume et de gros chagrins !

Il faut également tenir compte des impondérables, que ce soit dans la vie de tous les jours ou dans les circonstances exceptionnelles, sans oublier les petits détails... car je veux vous armer encore mieux contre les pièges et les dangers.

ADOPTER UNE DISCIPLINE SOUPLE

■ *Aménager le rituel horaire des repas*

Il est tout aussi artificiel de vouloir à tout prix dîner à 19 heures que de s'acharner à manger obligatoirement de la viande au repas du soir, qu'on aille ensuite travailler ou au contraire se coucher.

Manger tous les jours les mêmes aliments aux mêmes heures risque de provoquer à la longue des carences, aucun aliment ne pouvant contenir à lui tout seul tous les éléments nutritifs nécessaires à un bon équilibre nutritionnel.

Associer tel aliment à telle heure de la journée ne peut se justifier que si celle-ci est immuable ; rendre immuables les heures des repas, quel que soit leur déroulement, n'aura pas plus de sens.

C'est d'ailleurs essentiellement pour éviter ce travers que nous avons édité deux livres de recettes toutes simples mais très variées, dans un double but :

– vous éviter de stéréotyper vos habitudes et de finir par être victimes de carences ;

– vous éviter également, je vous l'ai déjà dit, une lassitude génératrice de dérapages d'autant plus difficiles à rattraper que l'état carentiel sera devenu important.

Celui-ci se voit d'ailleurs beaucoup plus chez les personnes à tempérament chien qu'à tempérament chat. Nous sommes en effet :

– soit des mangeurs du **type chien**, préférant très longtemps la même nourriture, quitte un beau jour à en changer radicalement ;

– soit des mangeurs du **type chat**, friands de perpétuels changements sous peine de lassitude rapide, voire de dégoût.

L'humanité est ainsi faite qu'elle se divise en deux catégories d'êtres au comportement alimentaire très différent, et qui n'a rien à voir avec le sexe. Ainsi sont faits les chiens et les chats, les uns et les autres ayant leurs habitudes bien établies, qu'il ne faudra pas changer si vous les voulez en bonne santé, le poil luisant et le nez frais.

L'être humain, plus omnivore que le chien, doit par nature diversifier son alimentation sous peine de carences et devrait donc, comme le chat, varier ses habitudes alimentaires.

Il n'y a aucune nécessité à se nourrir à des heures fixes si l'on n'a pas dépensé strictement chaque jour la même énergie. Il est encore plus pénible, à peine libéré des contraintes scolaires, de se trouver soumis à l'esclavage de contraintes alimentaires.

Règle que mon grand-père, ancien directeur d'école devenu jardinier émérite, ne pouvait admettre tant sa vie était réglée comme une horloge :

– debout été comme hiver à 6 h 30 ;

– le petit déjeuner se prenant immuablement à 7 h ;

– dans le jardin de 7 h 30 jusqu'à midi ;

– rituellement à table pour déjeuner à 12 h ;
– à nouveau dans son jardin de 12 h 30 à 18 h 30 ;
– le temps de se laver les mains avant de dîner à 19 h.

Rythme naturel d'un être imprégné d'une vie intérieure, mais pour le petit garçon que j'étais, levé à 10 heures pour être gavé de tartines de miel, de brioches et de chocolat chaud par une grand-mère gâteau, le déjeuner à midi pile était assez difficile...

Quant au dîner de 19 heures, il devenait franchement punitif quand il suivait un après-midi d'agapes horticoles et en principe interdites, le verger de mon grand-père débordant à l'époque des vacances de fruits délicieux dont je faisais chaque jour une orgie !

Je revenais bien entendu de chacun de mes séjours gras comme un moine, ce qui faisait le bonheur de ma mère, heureuse de ce résultat d'un séjour au bon air de la campagne. Les fins de vacances passées en escapades et sottises avec ma bande de joyeux drilles me faisaient, heureusement pour ma santé, perdre en quelques semaines la graisse accumulée par mon gavage campagnard.

Les solutions

– Trouver soi-même son rythme et écouter son corps.
– Éviter de se lever trop tard.

J'ai le souvenir d'une retraitée obèse qui se levait à 11 heures le matin, trop tard pour prendre un petit déjeuner et pas assez en appétit une heure après, ce qui la faisait déjeuner trop légèrement le midi et se contenter d'une tasse de thé vers 17 heures.

Elle commençait à avoir faim vers 19 heures et dînait alors confortablement, d'un peu n'importe quoi. Vers minuit, la réapparition d'un appétit mal calmé la poussait à manger enfin quelque chose de solide... implacable logique d'un corps qu'on lève trop tard et qu'on nourrit trop tard. Elle ne s'endormait que vers 3 ou 4 heures du matin, ce qui pourrait donner à penser que ce souper avait sa raison d'être. Mais il aurait fallu pour cela qu'elle ne reste plus, comme elle le faisait jusqu'à la fin de sa soirée prolongée, confortablement installée dans un fauteuil, son seul effort consistant à tendre le bras pour grappiller quelques douceurs en regardant ses émissions de télévision préférées.

La tâche fut rude pour remettre sa pendule personnelle à l'heure, au propre comme au figuré : obligatoirement debout avant 8 heures pour prendre un solide petit déjeuner, elle eut pour consigne absolue de ne plus jamais traîner chez elle dans la matinée, ce qui lui permit rapidement de déjeuner avec plaisir à une heure raisonnable.

Dans l'après-midi, les travaux de la maison et une heure de jardinage l'amenèrent à adopter avec bonheur le goûter de chocolat et de fruits.

Elle eut la totale liberté de dîner à l'heure qui lui plaisait et de souper si cela lui chantait, mais comme je l'espérais le dîner fut plus tardif grâce au coupe-faim naturel du goûter, ce qui fit disparaître le souper. Celui-ci, de toute façon, aurait eu bien du mal à persister, notre noctambule ayant rapidement retrouvé une envie de dormir à des heures normales, ce qui avait en même temps mis fin à ses redoutables grignotages nocturnes.

■ *Privilégions le plat unique*

Autant on peut, aux repas de fête, se livrer à toutes les fantaisies, quitte à le regretter ensuite, autant il est redoutable dans la semaine de sacrifier au rite des repas classiques qui comptent plusieurs plats. On aura beau les prétendre équilibrés, ils sont en fait générateurs de calories et de rajouts alimentaires inutiles.

Regardez à nouveau l'organisation de votre journée page 184. Tout y est, aucune carence ne s'y glissera si vous respectez bien le schéma de tous les repas.

Les solutions

Il est totalement inutile d'ajouter aux repas quotidiens des aliments que votre foie, votre pancréas et votre estomac vont être obligés de traiter, avant d'aller obligatoirement les stocker puisqu'ils sont en trop !

Perdre du temps à remplir inutilement son estomac le midi risque fort de diminuer votre vigilance et votre vivacité.

Ce handicap vous empêchera d'être parfaitement lucide pour affronter un après-midi rempli de tous les pièges que nous tend le milieu de travail, ce fameux environnement socioprofessionnel, si l'on s'amuse à reprendre les termes du jargon technocratique à la mode.

Enfin, le soir, remplir au-delà de sa satiété un estomac fatigué sans vouloir l'écouter même s'il crie grâce, le forcera à stocker plus encore que le midi, sauf évidemment si la nuit doit se passer debout jusqu'à l'aube !

On mangera donc tous les jours de la semaine les quatre repas tout simples dont je vous ai déjà fait le résumé, et on cessera de compliquer inutilement le travail de son organisme.

Il sera alors facile de se récompenser par de merveilleuses agapes sans même déroger aux principes de la semaine.

J'ai ainsi le souvenir d'un repas de travail destiné à convaincre un groupe de scientifiques que les principes nutritionnels de l'IREN sont non seulement validés scientifiquement, mais également fort agréables à appliquer ! Pour rendre notre démonstration la plus éclatante possible, nous avions choisi, Jean-Robert Rapin et moi, d'inviter ces messieurs chez Gill, le seul restaurant à deux étoiles de Haute-Normandie. Gilles Tournadre nous avait préparé, sur mes indications, un repas strictement conforme aux principes nutritionnels de l'institut.

Ce véritable triomphe de la gastronomie reste gravé dans la mémoire de certains professeurs de la faculté rouennaise. Ce repas fut, à ma grande joie, la preuve éclatante qu'on peut manger aussi agréablement qu'intelligemment, et que point n'est besoin de se martyriser pour rester en bonne santé.

La démonstration fut complète quand Gilles demanda un peu avant minuit si quelqu'un avait encore faim... « Comment poser une telle question après de pareilles agapes ? » lui répondit-on.

Cela mit un comble à mon bonheur car, contrairement à ce que chacun des convives non avertis pensait, ce qu'ils avaient mangé dans la soirée ne représentait que bien peu de calories en regard d'un repas classique !

Le premier étonné de la réponse était d'ailleurs Gilles Tournadre, que j'avais pourtant prévenu, mais qui, tout en m'ayant scrupuleusement écouté, ne pouvait penser que certains coupe-faim naturels, placés au moment où il le fallait dans la soirée, allaient avoir une telle efficacité.

■ *Rompre avec ses habitudes*

Les habitudes sont intimement liées à l'apprentissage de la première enfance, ce qui les rend quelquefois difficiles à éliminer de la gestion nutritionnelle, d'autant que, en vieillissant, elles sont souvent devenues totalement stéréotypées.

La soupe le soir

Supprimer la soupe du soir chez une personne habituée à en prendre depuis plus de vingt ans n'est pas toujours facile, mais défaire de cette fichue manie quelqu'un de 80 ans absolument persuadé que c'est une bonne habitude devient presque un tour de force.

Les solutions

Deux arguments parviennent cependant à faire tomber des résistances pourtant parfois acharnées :

– la fâcheuse propriété des potages de faire stocker inutilement une eau génératrice de cellulite ;

– le danger de faire monter la tension, ce qui me faisait interdire tout potage à mes hypertendus, à quelque heure que ce soit de la journée ou de la nuit, bien avant d'être nutritionniste, ou alors de l'autoriser sous réserve de le prendre absolument sans sel et sans féculents, ce qui rend ce brouet clair fort peu appétissant ;

Pour consoler les réfractaires ne souffrant pas d'hypertension, on ajoutera l'autorisation d'absorber ce potage le matin, salé et bien épais si on le souhaite, sous certaines conditions que je vous ai déjà expliquées.

L'accord fromage et vin le soir

Mais le rituel des aliments peut également se révéler le prétexte à quelques débordements alimentaires et, à ce titre, particulièrement difficile à déloger de son créneau horaire : le plus bel exemple est celui du fromage, aliment qu'on mange rituellement le soir, et que d'aucuns rechignent fortement à manger le matin.

Je me suis demandé longtemps, très innocemment je l'avoue, pourquoi diable il semblait si difficile à des personnes aimant ou même adorant le fromage d'en manger le matin.

C'est l'exclamation d'un homme d'un certain âge venant me consulter pour la première fois qui me donna, sans qu'il le sache, la clé du problème : « Et mon verre de vin, alors ? Je ne vais quand même pas le boire au petit déjeuner, docteur ! »

Les solutions

Merci encore à ce charmant monsieur qui exprimait enfin tout haut ce que d'autres avaient pensé tout bas.

Je lui précisais d'abord que le verre de vin n'était pas plus autorisé le soir que le matin ou le midi, dans la semaine, et je le consolais ensuite en lui faisant miroiter tous les repas de fête auxquels il aurait droit sans retenue au lieu de s'interdire tout festin sous prétexte de son âge avancé.

Ce programme introduisait plus de raison, mais en même temps beaucoup plus de fantaisie que le sien. Il lui convint parfaitement, et je sais qu'il le continue scrupuleusement... après quelques démêlés avec l'entourage qui voulait comprendre le pourquoi d'un changement si radical. Une fois instruit à son tour, le reste de la famille le laissa d'autant mieux gérer son nouveau style de vie que chacun finit par suivre mes conseils.

■ *Suivre les saisons*

La chaleur sera le principal péril de l'été car, en diminuant l'appétit, elle pousse à manger végétarien. Pour éviter de se transformer fâcheusement en herbivore, il suffira alors de remplacer le chaud par du froid à tous les repas.

Pratiquement tous les aliments peuvent se manger en vinaigrette – qu'on fera, je le rappelle, à l'huile d'olive de première pression à froid ou à l'huile de pépins de raisin (elle ne fige pas et peut donc être préparée à l'avance).

Mais attention aux salades composées, en général mal équilibrées par trop de végétal prenant le pas sur la part d'animal ! On veillera donc à respecter les proportions et à rester essentiellement carnivore, quitte à manger moins.

Au contraire, les dîners sucrés seront les bienvenus :

– on se contentera de manger du chocolat au goûter si l'on a faim dans l'après-midi ;

– on fera le soir un repas de tous les fruits qu'on voudra, ce qui est la meilleure façon de s'adapter sans risque à la chaleur...

À condition, bien entendu, que ce repas sucré soit le prélude à la fin de soirée et ne soit pas immédiatement suivi par le coucher.

Le froid ramènera pour le midi les choucroutes, les pot-au-feu et autres plats bien consistants, les poissons gras restant l'apanage des soirées frileuses qu'on terminera douillettement enfoui sous la couette.

En fait, une bonne gestion alimentaire des saisons consistera tout simplement à manger méditerranéen l'été et lapon l'hiver.

6

Les cas particuliers

Les cas particuliers sont relativement peu nombreux, la plupart des difficultés qu'ils provoquent étant plus liées à un manque d'organisation qu'à une réelle difficulté.

Mais certains impératifs d'horaires ou de temps, essentiellement professionnels donc incontournables, nécessitent une adaptation obligatoire que nous essaierons de rendre la plus agréable possible.

Les deux grandes difficultés à rester en phase avec la chrono-nutrition proviennent des distorsions qu'on aura à subir quand l'activité professionnelle sera plus ou moins décalée par rapport à une journée normale. Cette distorsion sera beaucoup plus difficile à gérer dans un couple ou une famille pour ceux qui sont sédentaires que pour celui qui vit en décalage.

Elle sera également plus difficile pour les femmes que pour les hommes, la gestion du foyer venant compliquer à plaisir une vie déphasée par rapport aux normes de la vie quotidienne.

LES OCCASIONS SPÉCIALES

■ *Le sport*

Au cours de la journée, des efforts physiques intenses devront être précédés et accompagnés, surtout pas suivis, par un complément nutritionnel essentiellement végétal mais le plus riche possible en protéines et en lipides : par exemple, des bananes ou 100 g de cake, plutôt que des fruits... Nous avons testé des aliments à base de soja dont l'usage est manifestement sans grand intérêt pour la gestion de l'effort.

Par contre, évitez autant que possible de faire du sport le midi si c'est votre seul créneau de liberté dans une journée chargée. Mangez bien, puis détendez-vous, promenez-vous, ce sera la meilleure manière de rester en forme tout l'après-midi.

■ *Le rituel des repas professionnels*

Affirmons notre différence ! Ce sont les repas d'affaires auxquels, la main sur le cœur et une auréole autour de la tête, on prétend n'avoir, hélas, pas pu échapper...

Les solutions

Il est pourtant facile d'affirmer sa personnalité à ces repas en commandant deux parts de viande, une petite part de féculent, par exemple des frites, et... rien d'autre. Ce qui a un double avantage :

– celui de vous laisser deux fois plus de temps de parole qu'à ceux ayant pris plusieurs plats ;

– celui de ne pouvoir être suspecté par personne de faire un régime. Car il est évident qu'avec une telle quantité de viande dans votre assiette, complétée par un féculent réputé particulièrement nourrissant, nul ne se risquera à vous en faire la remarque, surtout si vous êtes dans la phase où vous avez atteint la minceur que vous souhaitiez acquérir.

Rien ne vous empêche également de commander deux plats de viande successifs, vous assurant encore plus sûrement une solide réputation de bon mangeur !

En fait, tous ces problèmes se résolvent en affichant, avec une volonté tranquille, une autre manière de gérer ses repas. Ce nouvel art de vivre plus simple et mieux équilibré vous satisfera d'autant plus que vous en ressentirez les effets bénéfiques sur votre humeur. Finies en effet les somnolences de fin de matinée, envolées les tentations de sieste en début d'après-midi et les fins de journée hargneuses. Ne vous laissez plus influencer par les modes et les usages pour ne pas risquer de perdre l'équilibre de votre corps en perdant celui de vos repas.

■ *Les cocktails, pots et autres arrosages*

Ils font partie des rituels professionnels et leur côté relationnel les rend pratiquement incontournables... Alors, sachez les maîtriser.

Inutile de vous gaver de jus de fruits pour éviter les alcools : les calories seront tout autant au rendez-vous, et plus encore la cellulite s'il s'agit d'un jus de tomate bien salé.

Les solutions

– Le classique Perrier-rondelle, mais attention aux petits gâteaux qui viendront consoler l'héroïque buveur d'eau !

– Ou, plus subtil, le « tout sucre » : plutôt qu'un jus de fruit, on prendra de préférence un verre de champagne ou un verre d'alcool de grain comme le whisky, ou un apéritif anisé, qu'on accompagnera exclusivement d'aliments sucrés. Tous ceux qui composent le goûter seront les bienvenus.

En faisant suivre ce goûter, qui n'en est pas un, par un repas du soir de fruits à volonté, dont on exclura exceptionnellement le chocolat... le tour sera joué ! Vous éviterez ainsi l'obligatoire difficulté qu'on éprouve à digérer les corps gras, même légers, quand on les a précédés le soir par l'absorption d'une boisson alcoolisée.

En effet, sauf si vous n'allez pas vous coucher et que vous passez une bonne partie de la nuit à vous dépenser, votre foie restera bloqué temporairement par l'alcool et ne pourra pas métaboliser les aliments avant d'aller dormir. Au contraire, les fruits, qui ne suivent pas la même voie métabolique, seront rapidement digérés et ne laisseront pas de fâcheux souvenirs le lendemain, à condition de ne surtout pas les manger juste avant d'aller vous coucher.

Les repas de famille

Ils associent rituellement tous les gras, tous les sucres et un bon nombre de protéines, aussi bien animales que végétales, en général largement accompagnés de boissons sucrées, alcoolisées, ou les deux.

Qu'il s'agisse d'un repas du midi ou d'un repas du soir, il ne faudra diminuer ou sauter que le repas du soir qui suit, jamais un autre repas.

Cela évitera de modifier l'équilibre naturel de la nutrition, dont la chronologie ne serait alors plus respectée.

Les solutions

– Supprimer ou simplement réduire un repas du soir aura l'avantage de permettre un déstockage en douceur, sans souffrir de la faim puisqu'on ira dormir, en veillant cependant à boire suffisamment.

Mais il faut surtout :

– Éviter l'erreur classique qui consiste à réserver son appétit pour les fêtes en diminuant ou en supprimant les repas qui les précèdent. On obtiendrait, dans ce cas-là, exactement l'effet inverse de celui que l'on souhaite : l'organisme, volontairement affamé, se ferait un plaisir d'accueillir à satiété et plus encore tous les aliments qu'on lui offrirait, accumulant, on le sait, plus de recettes qu'il n'aurait fait de dépenses.

■ *Les pique-niques*

Le principal piège des pique-niques sera toujours le sandwich, suivi de près par la salade composée.

Dans les deux cas il y aura en effet, sauf exception, toujours beaucoup trop de végétal et pas assez d'animal avec l'effet désastreux d'être suivi d'autant plus rapidement par la réapparition d'un appétit féroce que l'après-midi aura été sportif.

Les solutions

– Pour éviter de mal répartir les aliments, le mieux est de les emporter dans des boîtes séparées : une pour les viandes, une pour les féculents... Cela permettra à tout un chacun d'y puiser la quantité d'animal et de végétal qu'il jugera utile, sans pour cela imposer aux autres des proportions mal calculées.

– Autre précaution : ne jamais oublier la dépense d'énergie et prévoir en conséquence un solide goûter + 1 banane par heure d'effort.

■ *Les voyages et les vacances*

Pour les heureux qui partent loin, on accommodera les repas aux pays qu'ils visitent et à l'énergie qu'ils dépensent ! Car il n'y a rien de commun entre un trekking au Népal et dix jours vautrés dans un hamac sous les palétuviers à l'île Maurice, bien que les latitudes en soient, dans les deux cas, quelque peu plus au sud que la nôtre !

Que ce soit :
– un voyage dans un pays froid ou dans un pays chaud ;
– la dépense d'énergie formidable des amateurs de randonnées alpines ou le modeste exercice d'un paisible promeneur sur les planches de Deauville ;
– le farniente des professions manuelles ou la détente sportive des bureaucrates ;

toutes ces situations nécessiteront une adaptation particulière qui constitue une partie importante des demandes auxquelles répondent les professionnels de santé de l'IREN par des conseils nutritionnels.

Les solutions

À chaque situation particulière répondra donc une adaptation nutritionnelle... et non l'inverse comme on a trop souvent tendance à le faire, avec des résultats obligatoirement catastrophiques à la fin des vacances si l'on n'a pas su préserver au moins les grandes lignes de la chrono-nutrition.

■ *Les vacances à l'hôtel*

C'est évidemment la pension complète qui peut mettre en péril un équilibre acquis ou en train de s'acquérir.

Les solutions

– Garder pour le matin le fromage du midi et du soir.

– Réserver pour le goûter les fruits et les desserts sucrés, sans oublier que, vacances ou pas, on aura deux fois par semaine l'occasion de faire la fête, et notamment de s'alcooliser.

Ce qui signifie que le petit rosé tous les soirs sous la tonnelle risque fort de vous laisser, sinon des remords, au moins très certainement des regrets... qui seront d'autant plus vifs que les vacances auront été longues.

L'ENTOURAGE

Je vous ai emmenés tout à l'heure faire un tour avec moi dans mes souvenirs d'enfance, car il y a dans ce récit anecdotique tout le problème des distorsions nutritionnelles entre des repas pris de façon identique alors que les rythmes de vie sont différents.

Quand il s'agit d'un enfant en vacances, le problème, on l'a vu, n'entraînera pas de catastrophes dans la mesure où cette anomalie transitoire sera rapidement compensée. Mais quand la situation devient institutionnelle tout au long de l'année, il s'ensuivra progressivement de redoutables prises de poids et de volume.

■ *Les couples où l'un est sédentaire et l'autre actif*

Contrairement aux apparences, c'est le fait d'être sédentaire qui pose le plus de problèmes. La sédentarité devrait amener à réduire plus ou moins la ration alimentaire quotidienne, ce qui est difficile pour celui qui s'y contraint. Celui qui reste le plus à la maison est toujours tenaillé par le besoin de se nourrir plus tôt et, dans la plupart des cas, fait un repas de trop en voulant garder le même schéma nutritionnel que son conjoint.

Les solutions

– Dissocier les schémas nutritionnels de chacun, sinon il va obligatoirement se produire une cassure de la chrono-nutrition pour l'un des deux.

– Goûter quand vient la faim naturelle, en attendant le retour du conjoint.

■ *La mère de famille au foyer*

Obligée de préparer le dîner des enfants, puis d'y assister, elle vit un véritable supplice de Tantale, qui deviendra :

– soit une vraie torture pour les mamans ayant le courage de ne pas s'attabler ;

– soit, si elles ne peuvent résister à la tentation, la source de prises de poids aussi spectaculaires que fréquentes provoquées par ce repas ajouté.

Les solutions

Goûter systématiquement quand les enfants dînent, ce qui a l'avantage complémentaire de les accompagner dans leur repas du soir. Dans les deux cas, le chocolat et les fruits trouveront donc tout naturellement leur place vers 19 heures, en attendant un dîner vers 21-22 heures ou même plus tard.

Le dîner de couple qui terminera la soirée sera d'autant plus agréable qu'il ne sera plus motivé par une faim dévorante mais par le simple plaisir de partager un moment de détente bien mérité.

Faites attention cependant à ne pas manger par obligation conviviale : n'oubliez pas d'obéir à votre sensation de satiété autant qu'à celle de faim et, dans ce cas, contentez-vous de boire.

L'important est d'être assis ensemble pour bavarder, regarder la télévision ou tout simplement le plaisir de se voir... mais pas obligatoirement de faire travailler ses mâchoires au même rythme !

■ *Les enfants*

À la maison

À partir du moment où ils commencent à manger comme les adultes, ils peuvent suivre ma méthode. Il est important de varier les menus en ce qui les concerne. On se reportera par exemple aux recettes de quiches, croque-monsieur, etc. (p. 281), pour leur proposer du fromage de différentes façons.

À la cantine

Les repas des cantines pour enfants sont tellement mal équilibrés que cela reste une des questions les plus préoccupantes pour moi. Le problème essentiel étant le manque de protéines, vous pouvez, s'ils acceptent, leur donner un œuf dur à manger en plus de leur repas de midi.

Le goûter

Ce sera le même que celui de l'adulte (voir p. 149), à ceci près que les enfants dépensant plus d'énergie, ils ont également droit aux bananes.

EN FONCTION
DE VOTRE ACTIVITÉ PROFESSIONNELLE

Il faudra faire correspondre la chrono-nutrition aux besoins alimentaires réels de l'organisme, sans plus se soucier des règles établies. Nous allons en voir quelques exemples.

■ *Pour ceux qui travaillent la nuit*

Cela pose le problème le plus simple et facile à résoudre, à condition d'accepter d'adapter les nécessités de son alimentation aux nécessités des horaires d'activité.

Les solutions

Celui qui travaille de nuit, se levant à l'heure où les autres prennent leur déjeuner du midi, prendra son petit déjeuner avec eux :

– le « petit déjeuner » de midi sera donc pour lui l'heure du fromage-pain-beurre.

Si l'après-midi est long, une pause fruits et boisson sucrée suffira en attendant le déjeuner qui se prendra en même temps que le dîner des autres :

– le « déjeuner » du soir sera alors viande-féculents, pendant que le reste de la famille mangera poisson-légumes verts ;

– le « goûter » se prendra dans la nuit ;

– le « dîner » en fin de nuit ou en rentrant du travail.

On remarquera que le travail de la cuisinière ou du cuisinier n'est en rien compliqué par cette alternance puisque chaque plat, s'il est mangé séparément, est cependant réalisé en une seule fois pour toute la famille. Mieux encore, le rituel des repas familiaux est donc respecté, tout en préservant la chrono-nutritition des uns et des autres, puisque chacun va manger en fonction de ses besoins naturels.

Vous voyez donc qu'on peut très bien être amené à manger lourd le soir quand les autres mangent léger, ou sucré... ou même pas du tout.

■ *Pour ceux qui exercent un métier physique*

Si le travail de nuit est responsable d'horaires décalés, il y a des professions dont les emplois du temps sont bien plus difficiles à gérer : un crevettier de Honfleur partant tirer ses filets pour quatre heures de pêche devra, à l'évidence, faire provision d'énergie avant de prendre la mer. Au cours des efforts à accomplir, placé dans la même situation qu'un marathonien, il lui faudra alors maintenir son énergie pendant le même temps qu'une longue course.

Les solutions

Dans les deux cas, il suffira d'amener **toutes les heures** un complément d'énergie ne risquant pas d'avoir un effet cumulatif. Pour cela, un sucre rapide sera trop fugace et risque de provoquer des hypoglycémies réflexes. L'idéal nous a finalement paru un aliment dense associant protéines végétales, lipides végétaux et glucides... cela laisse le choix entre 1 banane par heure ou 2 grosses cuillerées à soupe de crème de marron par heure... que mon crevettier se voyait difficilement déguster entre deux vagues « parce que voilà, docteur, me dit-il en riant, le problème, sur le pont d'un petit bateau, c'est d'arriver à plonger la cuillère dans le pot ! ».

Les repas seront à la mesure des circonstances, et nous avons ensemble organisé un système nutritionnel qu'il peut adapter aussi bien à une pêche de rêve par calme plat qu'à quatre jours et quatre nuits d'angoisse à tenir la barre dans le gros temps.

À chaque circonstance correspond un repas, tout comme à chaque style de vie correspond un mode nutritionnel différent qu'il sera nécessaire d'adapter à la durée aussi bien qu'à l'intensité des efforts qu'il faudra accomplir.

■ *Pour ceux qui exercent un travail intellectuel*

Les efforts intellectuels soutenus sont comme les efforts physiques, ils nécessitent un carburant complémentaire.

Les solutions

Les étudiants auront tout intérêt à manger :
– la première partie du goûter en fin d'après-midi ;
– 2 heures environ après un dîner de poissons et/ou fruits de mer, sans légumes ;
– dans la nuit, 1 heure au moins avant le coucher, repas de fruits secs, fruits frais et dérivés sucrés à volonté.

Leur attention pourra ainsi rester vigilante jusqu'à un coucher même très tardif suivi d'un sommeil d'autant plus réparateur que la métabolisation des sucres, laissant le foie totalement en repos, ne provoquera pas de lourdeur au coucher.

C'est ainsi que j'ai pu écrire ce livre la nuit, malgré des journées de consultations bien remplies, sans pour cela me sentir épuisé.

Il faut cependant, si l'on veut mener ce rythme, ne jamais manger moins de 280 g de viande le midi, sinon le risque est de maigrir par fonte musculaire. Si l'on négligeait cette précaution, l'organisme serait en effet obligé de puiser dans les réserves nobles, celles qui lui servent à faire face aux situations critiques.

■ *Pour ceux qui font les 3 × 8*

La pire invention que la civilisation prétendument moderne a pu créer reste encore le système des 3 × 8 : par souci de prétendue égalité, on fait tourner des horaires de travail de 8 heures toutes les semaines, voire tous les 3 jours, pour que chacun puisse goûter l'ineffable bonheur de travailler tantôt le matin, tantôt l'après-midi et tantôt la nuit.

Il y a bien longtemps que, dans les hôpitaux et quelques entreprises privées, des gens sensés ont réalisé à quel point ce système pouvait détruire l'équilibre des femmes et des hommes qui le subissaient.

Or, à quelques exceptions près, l'immense majorité des personnes soumises à ce rythme totalement antiphysiologique serait prête à garder, sur des périodes raisonnables, voire sur toute une carrière, des horaires réguliers, fussent-ils très tôt le matin ou pendant la nuit.

Les solutions

Sur le plan nutritionnel, ces à-coups horaires ne déclenchent pas de catastrophes car il est relativement facile d'adapter leur alimentation à l'activité des personnes concernées.

Comme on l'a déjà vu, il suffira de :

– décaler complètement les repas pour le travail de nuit.

En revanche :

– si l'on se lève avant 6 heures du matin, il suffit d'ajouter au lever une banane ou 100 g de cake.

On prendra sans problème :

– le petit déjeuner à la pause du matin et les autres repas, y compris le goûter, aux heures habituelles.

La raison de cette alimentation complémentaire est très simple : quand on se lève très tôt, on ne se couche pas beaucoup plus tôt que d'habitude, si bien que la dépense d'énergie est supérieure à la consommation habituelle.

Mais si l'on bousculait profondément l'organisation des repas, en voulant trop bien faire on aggraverait le déséquilibre physiologique provoqué par les changements répétitifs des rythmes d'activité.

Il suffit d'écouter les voyageurs se plaindre du décalage horaire en avion pour comprendre que ce même décalage se produit obligatoirement chez les gens auxquels on inflige ce système de travail... sans que, malheureusement, ce désagrément soit compensé par le plaisir de changer d'air !

■ *Pour ceux qui travaillent dans la restauration*

Ils travaillent chaque jour en deux périodes hyperactives séparées par une plage de repos de deux à quatre heures.

Pour ceux-là, il a fallu trouver un équilibre tenant compte des deux plages d'activité intense pendant lesquelles il n'était pas question de manger quoi que ce soit.

Les solutions

- un gras végétal et une boisson non sucrée au lever ;
- le petit déjeuner vers 11 heures, juste avant le service ;
- du poisson après le service du midi ;
- le repas de viande et féculent avant le service du soir ;
- si nécessaire des fruits avant le coucher...

et toute la journée : boissons à volonté sans lait ni sucre.

■ *Pour ceux qui font souvent des voyages d'affaires*

Les voyages d'affaires doivent se traiter comme les situations de travail en 3 × 8 (cf. p. 223), c'est-à-dire qu'on doit s'adapter aux circonstances. N'oubliez pas que votre corps est une machine et qu'il n'a pas d'états d'âme. Vous devez donc le nourrir au rythme de votre activité.

LE PASSAGE DE LA VIE PROFESSIONNELLE À LA RETRAITE

Les trois facteurs les plus fréquents et les plus redoutables de malnutrition, donc d'accélération du vieillissement chez les retraités, sont :

- le lever trop tardif ;
- l'inactivité ;
- l'habitude du grignotage sucré.

Quel que soit son âge, le corps a toujours besoin de reconstruire ses cellules qui sont constituées, je vous l'ai déjà expliqué, de lipides et de protéines. Les sucres ne suffiront pas à leur équilibre nutritionnel et, conséquence plus redoutable encore, ils empêcheront l'assimilation correcte des aliments nécessaires à l'entretien des cellules. De plus, au fur et à mesure que l'organisme vieillit, les métabolismes et les échanges d'ions s'effectuent de moins en moins bien, ce qui rend les gens âgés plus fragiles.

À l'inverse, les très jeunes enfants sont fragilisés par des échanges trop rapides. C'est ainsi que, par des processus presque opposés, la déshydratation est aussi fréquente chez les tout-petits que chez les gens très âgés et tout aussi redoutable dans les deux cas.

Les solutions

Il faudra donc veiller à ne pas se laisser aller à une nonchalance corporelle sous prétexte de liberté intellectuelle.

L'arrêt du lever obligatoire et d'une discipline horaire tout aussi obligatoire entraîne chez les retraités une sensation de liberté totale. C'est là l'erreur fondamentale : si l'esprit se trouve à juste titre libéré de contraintes souvent devenues pénibles en fin de carrière, le corps, dont on oublie trop souvent qu'il est seulement une machine, n'a aucune notion philosophique de ce changement.

On devra continuer à le gérer correctement, et ne surtout pas croire qu'à la liberté intellectuelle, parfois durement acquise, pourra s'associer une liberté physique et notamment nutritionnelle.

J'insiste donc sur le fait qu'être à la retraite n'implique pas du tout de mettre son corps en vacances permanentes, mais de restructurer sa vie en veillant à ne pas déstabiliser complètement l'organisation de ses journées.

C'est en gérant correctement son emploi du temps et en gardant des journées bien remplies que l'on pourra dans l'année se ménager des plages de repos total. On conservera donc une vie active rythmée par des temps de vacances nécessaires.

Ainsi on échappera au syndrome du retraité, redoutable pourvoyeur de kilos et, par conséquent, d'accidents cardiaques ou pulmonaires.

Pour échapper à cette conclusion désolante, il suffit de comprendre qu'aux efforts physiques et psychiques de notre corps correspond une dépense d'énergie qui sera gérée par notre métabolisme digestif. Ce qui veut dire que si le premier se repose, on doit laisser le second en veilleuse...

Appliquons alors sans faillir, pour bien nous porter, la règle toute simple : « Je mange comme je travaille... » et « Si je n'ai rien à faire, je laisse mon estomac tranquille ! »

7

Les troubles métaboliques

■ *Vous avez du cholestérol*

Contrairement à l'opinion répandue, l'hypercholestérolémie même génétique n'est pas une malédiction inguérissable.

Je me souviens qu'il y a trente ans, on désespérait de voir les patients présenter des taux de cholestérol parfois faramineux qu'on ne parvenait pas à maîtriser avec des médicaments peu efficaces, et encore moins au prix de régimes même épouvantablement draconiens.

Cependant, depuis environ dix ans, la découverte de nouveaux médicaments et leur utilisation ont permis une maîtrise spectaculaire des troubles du cholestérol. Mais beaucoup de thérapeutes sont encore persuadés, à tort, que l'hypercholestérolémie, une fois qu'elle s'est déclarée, ne peut être maîtrisée que par la thérapeutique médicamenteuse. Or, si on suit parfaitement un schéma alimentaire très précis, reposant sur la chrono-nutrition, toute anomalie du cholestérol, qu'elle soit en excès ou carentielle, pourra être rééquilibrée sans aucun médicament, ce qui est une véritable révolution... À condition, bien entendu, que cette alimentation soit parfaitement suivie et qu'elle le soit à vie.

Donc, contrairement aux idées reçues, il ne faut surtout

pas priver d'apports en corps gras les gens présentant des hypercholestérolémies sous peine de les voir fabriquer comme des fous le cholestérol qui, justement, est le plus dangereux.

Le problème est en effet beaucoup plus simple qu'il n'y paraissait. Il suffit tout simplement de respecter à la lettre le métabolisme du cholestérol en donnant à votre corps les corps gras dans les quantités nécessaires et suffisantes, exactement au moment où il en a besoin, de façon à l'empêcher d'en fabriquer de façon anarchique.

Bien entendu, les protocoles alimentaires seront soigneusement établis par un thérapeute qualifié formé à la chrono-nutrition. Celui-ci établira pour chaque personne un schéma nutritionnel précis qui pourra convenir à n'importe qui n'ayant pas de problème, mais ne sera pas forcément adapté à un autre sujet souffrant d'une autre forme d'hypercholestérolémie.

Les grandes lignes de ce protocole, qui seront à adapter pour chaque cas, ne sont du reste pas particulièrement compliquées.

• Au petit déjeuner : supprimer le beurre, mais compenser cette diminution du gras en majorant la part de fromage de 20 g, ou en ajoutant à celui-ci 60 g de charcuterie, ou encore en remplaçant le fromage par le double de son poids en charcuterie.

• Au déjeuner : supprimer la charcuterie et les œufs, dont seul le jaune est redoutablement toxique dans les cas d'hypercholestérolémie avérée. En revanche, autoriser les abats avec quelques réserves :

– seront interdits : cervelle, ris de veau, rognons, foie (porc, veau, génisse, bœuf, mouton, lapin) ;

– seront autorisés : tous les autres abats, y compris gésiers confits, foies de volailles et foie gras de canard.

Vous en aurez l'illustration et la confirmation par l'extrait de l'étude que j'ai effectuée conjointement avec le Pr Jean-Robert Rapin, parue dans le journal scientifique *NAFAS* du 2 juin 2003 (voir p. 333).

■ *Vous souffrez de diabète*

Celui-ci est notablement plus facile à gérer, quelle que soit son expression, la chrono-nutrition comportant, dans tous les cas, une proportion de glucides nettement inférieure à celle que les diabétologues proposent. On ne craindra donc pas, *a priori*, les excès de sucre. Sauf au moment du goûter où les diabétiques devront suivre quelques recommandations respectives.

Mais il y a deux cas de figure bien distincts :

• Soit il s'agit d'un diabète de surcharge et il sera simplement nécessaire de supprimer les aliments trop riches en sucre au goûter (raisin, ananas, cerises, dattes, miel, sirop d'érable, confitures, confiseries, sirops, sodas et sorbets). Il faudra également supprimer temporairement les goûters dînatoires et vous obliger à dîner légèrement 2 heures après le goûter tant que vos paramètres biologiques indiqueront une hyperglycémie associée à une HbA1c trop élevée. Le retour à des valeurs correctes sans traitement permettra, bien entendu, de reprendre une alimentation parfaitement normale.

• Soit il s'agit d'un diabète insulino-dépendant et il faudra ajouter d'autres précautions à la restriction des sucres au goûter :

– Au petit déjeuner : la part de pain sera réduite de 10 g et la part de fromage sera augmentée d'autant.

– Au déjeuner : on remplacera les féculents par la même quantité de légumes verts cuits ou le double de crudités, sans oublier d'augmenter en même temps de 20 g la part de viande.

– Le dîner sera strictement obligatoire, limité si vous le souhaitez à une petite part de poisson, mais jamais réduit à un plat de légumes, ce qui risquerait de provoquer de graves déséquilibres dans votre glycémie du réveil.

– Dernière précaution : ne jamais prendre le risque de goûter avant d'avoir réellement faim, l'idéal étant de contrôler, dans les premiers temps, avant celui-ci, votre glycémie par un test digital.

Bien entendu, dans les deux cas, il conviendra, comme pour les pathologies du cholestérol, de confier à un thérapeute qualifié formé à la chrono-nutrition le suivi et la gestion de l'alimentation.

■ *Vous souffrez de pathologies du côlon*

Quelles que soient celles-ci, la chrono-nutrition a l'énorme avantage d'être très bien équilibrée en fibres, ce qui permet à l'intestin de ne pas souffrir de surcharges. Notamment grâce à l'apport de plus de fibres animales et moins de fibres végétales.

Toutes les colites fonctionnelles, qu'elles soient spasmodiques ou atoniques, seront donc améliorées par le simple respect de la chrono-nutrition.

En ce qui concerne les colites diverticulaires, la maladie de Crohn et autres colites organiques, il faudra prendre des précautions particulières, ces pathologies nécessitant une répartition des fibres soigneuse et la suppression de certains aliments végétaux.

Par exemple choux, choux-fleurs, brocolis, choux de Bruxelles, navets et tout aliment générateur intempestif de gaz sont à éliminer en priorité et à tout jamais dans le cas de la maladie de Crohn, et peuvent provoquer quelque souci si vous avez des diverticules.

Dans un cas comme dans l'autre, les légumes verts crus ne pourront être assimilés qu'en petite quantité et toujours mixés.

Tous les fruits devront être débarrassés d'éventuels pépins, ce qui exclut les figues, et faites attention aux tomates ! On ne devra, en effet, manger celles-ci qu'en toute petite quantité et toujours débarrassées de leur peau.

En ce qui concerne les féculents, le danger réside dans leur peau : par exemple la chair des petits pois, flageolets, haricots frais ou secs est protégée par une cuticule très difficile à assimiler dans la maladie de Crohn et celle-ci a la fâcheuse possibilité d'aller se loger dans les diverticules. Il sera donc prudent de passer ces féculents au mixeur, ce qui les rend mieux assimilables. Dans les cas extrêmes, il faudra même mixer tous les féculents, y compris le riz, sauf les pâtes et les pommes de terre, dont il ne faudra cependant pas abuser.

En ce qui concerne le pain, méfiez-vous surtout de tous ceux qui contiennent des grains ou dont la mie est trop dense. Évitez soigneusement le pain des Suisses, il est délicieux mais redoutable pour les intestins fragiles. La plus simple des solutions consistera à manger tout bêtement du pain blanc ou du pain de campagne, mais il faudra supprimer le pain complet. N'oubliez pas que pratiquement tous les pains industriels contiennent du sucre, ce qui pour nous les rend complètement impropres à la consommation.

Le chrono-nutritionniste devra intervenir pour réguler la chrono-nutrition en fonction de l'intensité des troubles et de l'atteinte organique.

■ *Vous souffrez de diatèse urique (c'est la goutte !)*

Vous pouvez, hélas, être sujet à souffrir de la « goutte » sans pour autant que vous n'en buviez ! On sait que l'acide urique peut être particulièrement élevé chez les buveurs et chez les gros mangeurs de charcuterie, mais ce qu'on ignorait, c'est que celui-ci s'élève d'autant plus qu'on mange à contretemps, même si on mange les mêmes aliments.

Ainsi, se nourrir le soir de charcuterie ou d'œufs ou de fromage, ou les trois, ou boire de l'alcool à n'importe quelle heure du jour, fait courir le risque que votre gros orteil vous intime un douloureux rappel à l'ordre.

C'est, en effet, au niveau de la première articulation du gros orteil que se manifestent le plus fréquemment les crises de goutte. Mais méfiez-vous, d'autres petites ou moyennes articulations peuvent également être atteintes.

Il faudra donc respecter à la lettre la chronologie des aliments et si le taux d'acide urique est très élevé, on supprimera la charcuterie, l'alcool (même quand c'est la fête !) et les abats.

Enfin, on dit beaucoup de mal des fruits de mer, en fait c'est surtout du vin blanc qui les accompagne dont on va dire du mal...

8

Solutions à l'attention de tous ceux qui ont des difficultés à suivre un mode d'alimentation régulier

Dis-moi comment tu manges, je te dirai qui tu es !

La façon dont on se nourrit devient, dans certains cas, l'expression d'un besoin de s'affirmer en se singularisant ou, à l'inverse, le besoin de s'isoler en se réfugiant dans des attitudes alimentaires stéréotypées par crainte de l'inhabituel ou de toute nouveauté.

Il y a dans les blocages ou les rituels qu'on s'impose à soi-même une manière, pas toujours aussi inconsciente qu'on voudrait le faire croire, de se mettre au ban des comportements nutritionnels normaux. Le métier n'y est pour rien, ni le niveau intellectuel, ni le degré d'éducation.

Nous sommes tous à la merci de nos craintes et suspendus à nos espoirs. Penser nous protéger des incertitudes et des angoisses par des déviations nutritionnelles est une erreur, car la consolation passagère apportée par la nourriture sera suivie à plus ou moins brève échéance de tous les soucis et tous les remords qu'entraîne le surpoids lié à cette gourmandise thérapeutique.

Ainsi en est-il des **quatre principaux problèmes** qu'on rencontre en nutrition :

- le problème de ceux qui prétendent ne rien manger ;
- le problème de ceux qui n'aiment rien ;
- le problème de ceux qui s'aiment mal ;
- le problème de ceux qui sautent des repas.

CEUX QUI PRÉTENDENT NE RIEN MANGER

■ *Le syndrome du raton laveur : le grignotage*

C'est l'absence de tout repas construit, phénomène beaucoup plus fréquent qu'on ne le pense, souvent masqué par un cortège d'occupations au cours desquelles reviendront comme des leitmotive « je n'ai pas le temps », ou « je n'ai pas faim », donnant prétexte à se sustenter d'apparemment presque rien toute la journée.

C'est ce genre d'habitude qui provoque le fameux « syndrome du raton laveur ». Perpétuellement occupé à nettoyer les aliments qu'il va ingérer, le raton laveur grignote tout au long de la journée, comme ceux qui prétendent ne rien manger.

L'explication de cette « polyphagie » est toute simple : les quantités ingérées sont suffisamment petites et séparées pour ne pas déclencher le salvateur mécanisme de satiété.

Le pourquoi de ce comportement est à rechercher dans un sentiment d'insatisfaction profond amenant à une consolation « phagique » : la tétée, le biberon, le sein de la mère, la sucette...

La personne qui souffre de ce symptôme ne peut plus se passer de glisser des aliments dans sa bouche, parfois n'importe lesquels, le mouvement de déglutition étant le facteur déclenchant du plaisir. Mais elle est persuadée de manger beaucoup moins que ce que la chrono-nutrition préconise.

Je me souviens d'une patiente incapable de se mettre correctement à table, à laquelle j'avais, en désespoir de cause, demandé de bien vouloir noter tout au long de la journée chaque portion, chaque part et même chaque bouchée, fût-elle infime, de ce qu'elle mangeait.

C'est dès le surlendemain, par téléphone, qu'elle m'informa avoir compris la leçon : une page entière d'un cahier d'écolier, qu'elle ne voulut jamais m'apporter, n'avait pas suffi pour noter les picorages de sa journée !

J'étais arrivé à lui faire prendre conscience qu'en fait, croyant ne pas manger, elle mangeait sans arrêt.

■ *Les solutions pour ceux qui aiment grignoter*

Il faut veiller à lutter contre ce comportement dès la petite enfance en ne donnant pas d'aliments consolations ni d'aliments plaisirs en dehors des grandes occasions de fête : chocolats de Noël et de Pâques, marrons glacés du nouvel an, dragées de baptême et tous les desserts des repas de fête.

Le petit déjeuner

Il passera assez facilement, car il est très varié et peu volumineux. On préparera plusieurs sortes de pain et plusieurs types de fromage.

Il sera cependant prudent de préparer ce « casse-croûte » le soir pour le lendemain matin, et on prendra soin de le protéger en l'enveloppant dans un torchon bien serré. Cette précaution évitera le dessèchement du pain... et, en confectionnant ce petit déjeuner à l'avance, on évitera la classique négligence du matin.

Le déjeuner du midi

Ce sera le moment le plus difficile à gérer. Faire rester à table les grignoteurs pour manger suffisamment de viande relève du tour de force car, principalement le midi, leur éternel problème est d'accepter cette importante mais nécessaire quantité de protéines animales.

Celle-ci leur paraît d'autant plus énorme qu'ils sont habitués à de multiples rogatons, dont l'addition dépasse pourtant de façon vertigineuse le total de la ration dont ils ont besoin le midi... mais dont ils refusent systématiquement de comparer la quantité à celle qu'ils accumulent par leurs grignotages ! Souvenez-vous de ma patiente persuadée de ne rien avaler...

Comment gérer alors cette obligatoire quantité ? En la scindant, tout simplement, ce qui va transformer le chrono-plat en chrono-repas :

– 1 petite part de poulet froid, suivie d'un œuf en gelée ;

– 1 tranche de jambon, suivie d'un reste de blanquette de veau ;

– 1 assiette anglaise associant jambon cru, jambon fumé et jambon braisé ;

– 2 rondelles de saucisson et 1 petite boîte de pâté ;

– 2 œufs sur 2 tranches de bacon.

J'en vois certains et certaines, non concernés par le syndrome du grignotage, et qui se sentent frustrés ! Mais non, faites la même chose si cela vous chante, ce qui est bon pour les autres étant bon pour vous. Vous entrerez ainsi sans plus attendre dans l'univers des chrono-repas.

Mais sachez qu'en mangeant ainsi vous freinerez notablement votre démarche vers la perfection si vous avez des anomalies de volume ou de poids à corriger.

Mais ce n'est là qu'une esquisse de ce que vous pouvez choisir... Laissez libre cours à votre imagination, pourvu que la quantité totale de protéines animales soit respectée.

Je vous encourageai tout à l'heure à être courageux, soyez également inventifs.

Le goûter

Pour les grignoteurs (et les autres !), c'est un véritable moment de bonheur dans la journée... sauf pour les gens trop pressés qui trouveront toujours prétexte à le négliger. Mais on peut toujours l'emporter dans une petite boîte en plastique.

C'est pourquoi j'insiste sur son impérative nécessité, sans jamais me lasser d'expliquer son précieux rôle de coupe-faim qui permet de réduire le « repas stockeur » du soir, ou même de le sauter avec, dans ce cas, ma bénédiction !

Les grignoteurs adoreront ce panachage de chocolat noir, de fruits secs, de compotes et confitures.

Le repas du soir

Il importe peu de le respecter ou de le négliger : c'est un repas facultatif qu'on peut tout à fait supprimer si l'on n'a pas faim, ou que l'on peut remplacer par le goûter si l'on a oublié celui-ci.

Une autre solution consiste à manger son chocolat quand survient le petit creux de l'après-midi et faire le soir un repas de fruits, à volonté cette fois.

CEUX QUI N'AIMENT RIEN

■ *Les traumatisés du goût*

Nous avons fait le programme d'une alimentation équilibrée, aussi variée que possible pour vous satisfaire tous et ne pas risquer de vous lasser... et cependant il existe parmi vous des gens qui me disent ne rien aimer.

– Un traumatisme du goût, parfois d'origine alimentaire (trop chaud, trop amer, trop glacé, trop gras, trop acide) est souvent à l'origine de cette défiance vis-à-vis des nouvelles saveurs.

– Plus difficile à gérer, un traumatisme d'ordre psychologique (certaines consistances et certaines saveurs restant à tout jamais associées à un chagrin, une douleur, une peur, une contrainte ou une angoisse) constitue un écueil à la curiosité gustative.

Il s'agit de stimuli comparables à l'odeur d'une fumée évoquant irrésistiblement le feu chez certains, ou au bruit de l'orage faisant craindre la foudre. Ces stimuli provoqueront un réflexe de défense, l'organisme détectant un danger. Dans le cas de la nourriture, il s'agit d'un dégoût qui déclenche une réaction de rejet.

– Il peut s'agir, à l'inverse, d'une trop grande permissivité. C'est le cas d'enfants trop gâtés par la faiblesse des parents ou par leur volonté de leur épargner les tortures alimentaires qu'ils ont eux-mêmes subies dans leur enfance. L'enfer étant hélas pavé de bonnes intentions, on aboutit malheureusement au même résultat de pauvreté de la palette alimentaire.

Certains grands obèses finissent par manger d'une manière très monotone, mais ce n'est, en fait, que pour tenter d'endiguer l'inexorable montée de leur appétit.

Les solutions pour ceux qui n'aiment rien

– La seule manière de les tirer d'affaire est d'arriver très progressivement à élargir l'éventail de leurs aliments, sans rien chercher d'autre, en leur faisant découvrir d'autres saveurs, d'autres goûts.

Il faut beaucoup de diplomatie pour qu'ils consentent à laisser surprendre leurs papilles gustatives.

On obtient ainsi, au bout d'un certain temps, parfois plusieurs mois, le retour à une nutrition normale, et ce n'est qu'à partir de là qu'on pourra les aider à reconstruire leur silhouette. Travail de fourmi, qui ne portera ses fruits qu'au prix d'une infinie patience.

– La vie modifie parfois dans le bon sens cette fixité alimentaire : vie en collectivité, vie en couple, changement du style de vie...

Mais il plane en permanence au-dessus de la tête de ces personnes-là une épée de Damoclès, un gros problème affectif, social ou familial pouvant déclencher, à l'âge adulte, une réapparition de ce trouble du comportement.

– Avec le vieillissement, il apparaît très fréquemment une nutrition stéréotypée rejoignant celle de l'enfance.

Il est évident que si de mauvaises habitudes ont été prises au cours de celle-ci, nous les verrons réapparaître, et elles seront d'autant plus graves qu'elles se produiront sur un terrain fragilisé aussi bien intellectuellement que physiquement.

Voilà pourquoi, plus tôt on apprendra aux petits enfants à manger une nourriture, la plus variée possible, mieux on les protégera de ce danger quand ils deviendront à leur tour parents, puis grands-parents.

CEUX QUI S'AIMENT MAL

■ *Les ritualistes*

Pour eux, la nourriture est un refuge. Les ritualistes sont des gens complètement bloqués dans des habitudes nutritionnelles devenues de véritables rituels interdisant toute fantaisie et tout changement dans une palette alimentaire dramatiquement réduite à sa plus simple expression.

Récemment, un homme d'une trentaine d'années m'a dit, illustrant involontairement ce blocage intellectuel : « Voyez-vous, docteur, je sais bien que je suis gros, mais je me pose actuellement la question : est-il vraiment nécessaire que j'apprenne à me nourrir d'une manière différente, ma façon de manger me plaît et, très sincèrement, j'ai peur d'en changer. – Peur parce que vous craignez que votre santé s'en ressente ? Je vous rappelle que vous êtes venu me consulter parce que, justement, votre corps commence à vous poser des problèmes de poids et de volume. – Non, non, docteur, cela, j'en suis conscient... non, en fait, j'ai peur que cela me rende malheureux. »

Alors j'ai répondu à ce vieux petit garçon apeuré :

« Il a bien fallu que vous lâchiez un jour la main de votre maman pour apprendre à marcher tout seul... »

Le problème principal de ce jeune homme était de ne pas pouvoir se défaire du rituel consistant à se nourrir chaque matin exclusivement d'une demi-baguette de pain blanc trempée dans un litre de lait, ce qui lui avait fait prendre un ventre s'arrondissant régulièrement au fil des années.

Pour l'aider à améliorer son alimentation sans trop le brusquer, je lui avais proposé de :

– réduire son lait à un verre, son pain à un tiers de baguette ;

– d'y ajouter 40 g de fromage et, s'il y consentait, 20 g de beurre.

Il aimait le fromage, il aimait le beurre... mais pour rien au monde il ne voulait changer son petit déjeuner, dérisoire prolongation du biberon de sa petite enfance.

Ce comportement infantile correspondait à une attitude trop permissive depuis la naissance et dans le même temps castratrice, la perte de toute obligation ayant entraîné le rejet de toute contrainte.

Cette anecdote nous ramène aux troubles du comportement que je pense les plus difficiles à gérer avec la boulimie. Ils nécessitent, en fait, non pas une restriction mais au contraire l'extension d'une palette alimentaire trop restreinte par défaut d'apprentissage et que le vieillissement rendra presque à tout coup dramatiquement stéréotypée.

Les solutions pour éviter le rituel

Agir dès l'enfance. Cela signifie qu'on ne doit, sous aucun prétexte, céder à la facilité pour les repas des enfants, l'apprentissage alimentaire ayant autant d'importance pour leur avenir que tout le reste de leur éducation.

Une patiente m'expliquant qu'elle n'avait pas pu mincir parce que les enfants étaient en vacances, donc faisaient tous leurs repas à la maison, en donne un exemple frappant. Il illustre à merveille l'erreur fondamentale de croire que les enfants jouissent d'un privilège de la jeunesse qui leur permettrait de faire sans danger pour leur santé toutes les sottises alimentaires possibles et imaginables.

Il m'a fallu convaincre cette patiente que ce qui n'était pas bon pour elle n'était pas meilleur pour ses enfants.

« Mais, docteur, je ne vais quand même pas les mettre au régime à leur âge ! » s'était-elle exclamée.

J'avais réalisé alors que l'exhortation de Boileau « vingt fois sur le métier remettez votre ouvrage » était loin d'être passée de mode et qu'il me fallait reprendre ma tâche d'éducateur depuis le début.

Cette patiente m'a appris ce jour-là qu'on doit toujours commencer la rééducation alimentaire en expliquant à la personne venue consulter l'intérêt qu'aura son entourage à manger comme elle.

Il faudra donc, c'est vrai, parfois beaucoup de pédagogie et de compréhension pour aider certains, bloqués dans des comportements alimentaires stéréotypés, à retrouver une silhouette équilibrée sans perdre leur sérénité.

Toute atteinte à leur train-train culinaire leur paraîtra une anomalie alimentaire, d'où la réaction logique, bien qu'erronée, de cette mère de famille, veillant mal mais avec assurément beaucoup de tendresse sur ses enfants.

■ *Les boulimiques*

Pour eux aussi la nourriture est un refuge. Ils aboutissent à l'expression la plus impressionnante des troubles du comportement alimentaire, celle qui conduit, sinon obligatoirement du moins le plus sûrement, à l'obésité majeure.

Leurs problèmes comportementaux se manifestent sous deux formes :

– la boulimie occasionnelle ;

– la boulimie chronique.

La boulimie occasionnelle

Elle est le plus souvent déclenchée par une émotion. Dans ce cas, elle est toujours imprévisible, plus ou moins intense, en général fugace, s'accompagnant très souvent d'un sentiment de culpabilité presque toujours suivi d'un sentiment de remords.

Elle peut également suivre un effort intense ou prolongé, qu'on aura omis d'anticiper par un repas approprié, mais elle peut également être tout simplement la conséquence d'un trop grand laps de temps entre deux repas.

Purement accidentelles, ces formes de boulimie n'auront de conséquences sur la silhouette que si elles deviennent répétitives.

Les solutions sont simples :

– dans le premier cas, il faudra veiller à mettre fin au stress ou à trouver un autre moyen de compensation ;

– dans le second cas, il suffira d'être plus prévoyant !

La boulimie liée à une carence chronique

Ces boulimies peuvent n'être que l'expression du mécanisme compensatoire naturel de carences chroniques, l'exemple le plus frappant étant celui de personnes du troisième âge se comportant devant un buffet comme si elles n'avaient pas mangé depuis trois jours.

On oublie dans ce cas que, pour de multiples raisons sociales, ou parfois hélas tout simplement financières, les personnes âgées sont très souvent en état de dénutrition chronique. Elles profitent donc, consciemment ou non, de l'atmosphère conviviale des banquets pour recharger des batteries parfois bien à plat !

Que faire ?

Tout bonnement inviter le plus souvent possible nos papys et nos mamys à toutes les cérémonies, surtout si elles comportent des agapes... En plus du plaisir de les voir, nous leur rendrons le service de refaire leurs stocks de protéines trop souvent appauvris.

La boulimie chronique

Qu'elle soit polyphagique par multiplication des repas, ou macrophagique par augmentation du volume de ceux-ci, ou les deux à la fois, elle aboutira tôt ou tard à des situations dramatiquement périlleuses pour l'organisme autant que pour l'équilibre psychologique.

Les solutions :

Elles relèvent d'un suivi médical où le nutritionniste sera

le plus souvent amené à conseiller l'aide précieuse d'un hypnothérapeute.

On se trouve, en effet, dans ces cas-là, confronté à une situation d'alerte maximale où l'inconscient, prenant le pas sur le conscient, étouffe dans l'œuf toute tentative raisonnable de reprendre en main le contrôle de son propre corps.

CEUX QUI SAUTENT DES REPAS

Là, il s'agit de remettre de l'ordre dans l'organisation de sa vie. Il ne s'agit plus de problèmes psychologiques plus ou moins graves mais de simples erreurs de jugement sur la façon de gérer sa nutrition. Il peut même s'agir de simples erreurs de gestion de ses repas par méconnaissance des règles nutritionnelles à respecter.

On pense à tort que l'omission des repas n'a que peu ou pas d'importance. L'absence de ceux-ci provoque des manques ou des trous dans le métabolisme nutritionnel, le désorganisant à plus ou moins brève échéance suivant la fréquence des omissions.

Cette manifestation de négligence mène à de mauvaises habitudes entraînant obligatoirement des phénomènes de surcompensation qui apparaissent dès que l'organisme va enfin pouvoir, trop tardivement, se nourrir.

Ces habitudes néfastes seront d'autant plus difficiles à contrôler qu'elles entreront dans un mécanisme naturel de défense obligeant l'organisme à répondre quotidiennement par un stockage au risque de dénutrition.

Dans ce cas, il n'y aura pas de prise de poids spectaculaire comme on en voit à l'arrêt d'un régime. Il se produira une montée insidieuse, gramme par gramme, invisible au jour le jour et même mois par mois. Mais celle-ci conduira cependant, au bout de dix ans, à s'affoler de peser 10 kilos de plus sans jamais avoir pris conscience du danger.

Il est évident que seule est nuisible l'absence des repas nécessaires. L'erreur la plus fréquente est l'absence de petit déjeuner, quasi constante chez les obèses qui s'en abstiennent dans le but de s'atteler courageusement tous les matins à la rude entreprise de ne pas continuer à prendre du poids...

Sauter le déjeuner du midi n'est guère plus anodin, la seule différence étant que, dans ce cas, on courra après son appétit une demi-journée au lieu d'une journée entière... et il n'est même pas certain qu'on grossira moins !

Les solutions

On ne doit pas plus sauter le repas du midi que celui du matin... Si vous les oubliez ou si vous n'avez pas faim, c'est que vous avez mal géré votre repas du soir. Celui-ci a sans nul doute été trop abondant :

– soit parce que vous avez sauté le goûter ;

– soit parce que vous avez goûté trop tôt faute d'avoir suffisamment déjeuné le midi.

Vous avez alors deux solutions :

– soit vous retenir de manger le soir jusqu'à avoir suffisamment faim le matin ;

– soit vous forcer à manger correctement le matin, le midi et au goûter pour ne plus avoir faim le soir.

À vous de choisir... mais il va falloir choisir, décision qui demandera un peu de courage pour la mener à bien.

Cependant, la réussite est au bout, et surtout votre

corps, docile machine, vous fera comprendre très rapidement qu'il se porte beaucoup mieux quand il est nourri en temps utile plutôt qu'à contretemps.

Il vous procurera, dans ce cas, au bout de quelques jours une sensation curieuse et très agréable de légèreté alors que votre poids n'aura pas encore bougé. Cela n'a rien de mystérieux, ce soulagement venant tout simplement du fait que vos organes vont ainsi se remettre à l'heure de votre chrono-biologie intime et très vite vous en remercier pour vous inciter, n'en doutez pas, à continuer dans la bonne voie !

Avec ce chapitre un peu austère parce que touchant aux troubles du comportement, je vous ai fait entrer dans le domaine que gérait pour l'IREN mon collègue, le docteur Laurent Tapiero.

Laurent Tapiero, qui a choisi de rejoindre le groupe GROS, présidé par mon confrère Gérard Apfeldorfer, éminent psychiatre, assurait la direction du département des recherches sur le comportement alimentaire, dont fait partie le service d'hypnothérapie.

Merci donc à Laurent : c'est grâce à son aide amicale et à ses observations judicieuses que je n'ai jamais cessé d'améliorer cette nutrition, jusqu'à la rendre aujourd'hui la plus naturelle possible.

9

Ultimes conseils

Vous voici donc en passe d'atteindre votre but, mais attention aux embûches semées sur votre chemin ! Pour vous aider à les éviter avant de nous séparer pour un temps, et en espérant que vous allez les lire et les relire jusqu'à connaître parfaitement la façon de gérer votre corps, j'ai écrit pour vous la liste des **Dix principes de l'IREN** que je vais vous commenter afin de la rendre plus facile à mettre en application.

Retenez-la bien, elle sera le gage d'un corps en parfaite santé et d'une silhouette au mieux de ses formes, si vous suivez ces conseils.

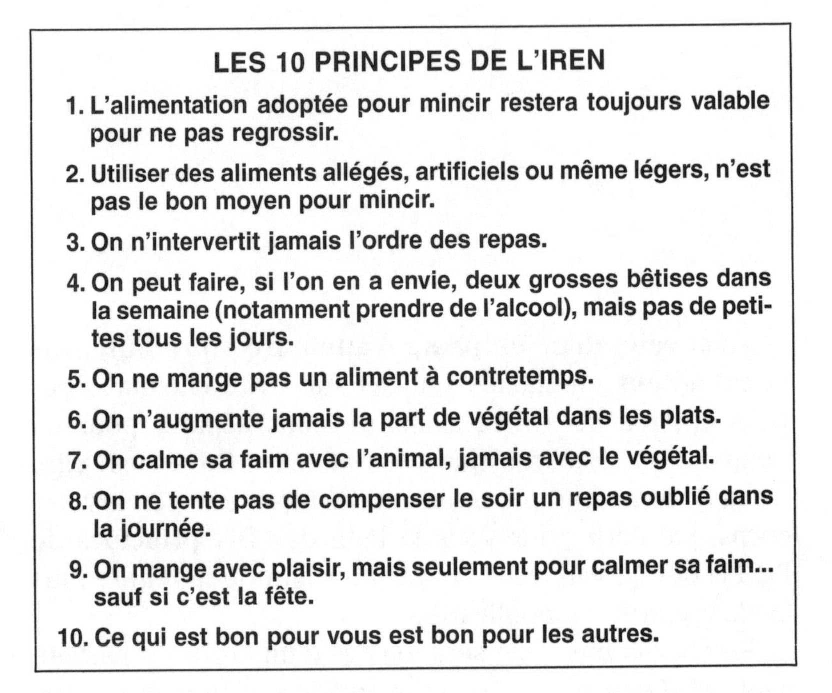

LES 10 PRINCIPES DE L'IREN

1. L'alimentation adoptée pour mincir restera toujours valable pour ne pas regrossir.
2. Utiliser des aliments allégés, artificiels ou même légers, n'est pas le bon moyen pour mincir.
3. On n'intervertit jamais l'ordre des repas.
4. On peut faire, si l'on en a envie, deux grosses bêtises dans la semaine (notamment prendre de l'alcool), mais pas de petites tous les jours.
5. On ne mange pas un aliment à contretemps.
6. On n'augmente jamais la part de végétal dans les plats.
7. On calme sa faim avec l'animal, jamais avec le végétal.
8. On ne tente pas de compenser le soir un repas oublié dans la journée.
9. On mange avec plaisir, mais seulement pour calmer sa faim... sauf si c'est la fête.
10. Ce qui est bon pour vous est bon pour les autres.

1. L'alimentation adoptée pour mincir restera toujours valable pour ne pas regrossir

Avec ma méthode, vous n'êtes pas au régime à proprement parler. Donc, lorsque vous avez atteint votre poids et vos mensurations souhaitables (voir tableau p. 57), continuez à appliquer les principes de la chrono-nutrition afin de changer définitivement votre manière de vivre.

Il n'est, en effet, pas question de faire un stage maigreur mais de corriger des erreurs alimentaires... En ne les commettant plus, on sera certain de rester mince.

Vous adopterez définitivement les principes de l'IREN,

condition nécessaire et suffisante pour garder la forme aussi bien que les formes tout au long de votre vie.

2. Utiliser des aliments allégés, artificiels ou même légers, n'est pas le bon moyen pour mincir

Ne trichez pas avec votre alimentation, ce ne serait pas un bon moyen de perdre du poids. Si, par malheur, vous arrivez à maigrir en vous aidant de faux-semblants alimentaires, que ferez-vous ensuite ?

– si vous mangez comme avant, vous reprendrez votre silhouette antérieure plus un certain nombre de kilos ;

– si vous persistez dans la même voie, vous serez à coup sûr condamné à vous acheminer vers la maigreur et son redoutable cortège de carences :

- carences calcique et protéique responsables d'ostéoporose ;
- carences lipidiques en Oméga 3 et 6, responsables de syndromes dépressifs.

3. On n'intervertit jamais l'ordre des repas

Intervertir l'ordre des repas est aussi imprudent que de sauter le repas qui précède un repas de fête...

Aucun prétexte ne pourra justifier l'erreur de manger peu ou pas le matin, léger le midi, rien l'après-midi et lourd le soir, ce qui va exactement à l'encontre de votre métabolisme nutritionnel.

Je vous ai déjà parlé de tous les inconvénients que cela

engendre, j'y ajouterai celui d'un obligatoire vieillissement prématuré provoqué par la perturbation des oxydations naturelles survenant à contretemps.

4. On peut faire, si l'on en a envie, deux grosses bêtises dans la semaine, notamment prendre de l'alcool, mais pas de petites tous les jours

Je me souviens d'avoir lu dans les tramways, à l'époque de mes 15 ans, des affiches publicitaires où tout un chacun pouvait lire : « 1 litre de vin égale 2 biftecks », ânerie physiologique autant que nutritionnelle qui avait fait hurler mon père, médecin généraliste, quand je lui avais tout à fait innocemment demandé son avis sur la question.

L'alcoolisme chronique était alors une plaie de la société, et les professions de santé menaient contre elle un combat d'autant plus méritoire que les politiques, soucieux d'électoralisme, les suivaient avec un évident manque d'enthousiasme.

Nous n'en sommes plus là, mais on a vu récemment réapparaître dans le milieu des chercheurs de chauds partisans d'un ou même deux verres de vin quotidiens... Tout médecin généraliste expérimenté connaît les dégâts que provoque, à long terme, l'absorption journalière d'alcool, même en faible quantité.

Qu'il s'agisse de boissons ou d'aliments, de petites erreurs ou anomalies répétitives seront, à la longue, beaucoup plus nuisibles à la santé qu'une superbe fiesta, même émaillée de toutes les sottises possibles.

En effet, quand vous ferez la fête, votre organisme mettra aussitôt en place tout un système complexe de rééquilibrage et d'épuration, vous permettant d'éliminer rapidement vos débordements alimentaires et vos libations.

Mais la petite erreur de tous les jours passera inaperçue dans le flot nutritionnel normal et viendra s'ajouter goutte par goutte, gramme par gramme, à votre volume et à votre poids.

Avec l'inversion des repas, le grignotage et les « entorses » répétées sont les trois causes principales de l'obésité et, avant d'arriver à celle-ci, de tous les stades de la grosseur proportionnellement aux erreurs et aux excès.

5. On ne mange pas un aliment à contretemps

Je vous ai soigneusement énuméré l'ordonnance des repas et les raisons physiologiques de celle-ci. Alors, si vous ne voulez pas compromettre tous vos efforts pour mincir ou rester mince, ne mettez pas le déjeuner à la place du dîner, le petit déjeuner au goûter et *vice versa*, sauf bien entendu dans le cas où vous vivez à l'envers !

Il est évident qu'entre un Chinois se levant à 5 heures du matin, un Espagnol commençant sa journée à 10 heures et un Saoudien vivant la nuit, les horaires des repas ne sont pas les mêmes et suivront fidèlement les rythmes de leurs vies respectives.

Ainsi le petit déjeuner se mange au lever, même s'il est midi, le déjeuner le soir si l'on travaille de nuit, et le poisson avant le coucher même s'il est 7 heures du matin !

6. On n'augmente jamais la part de végétal dans les plats

Il est tellement tentant de manger sans mesure des crudités ou de la salade, sous prétexte que cela ne nourrit pas.

On oublie, ce faisant, l'effet pervers des aliments légers. Ils ne donneront certes pas de poids ou très peu... mais auront sur les volumes des effets accumulatifs fort peu esthétiques : grosses jambes et culottes de cheval seront les punitions morphologiques, auxquelles s'ajouteront une désagréable sensation de lourdeur et d'empâtement des membres inférieurs...

Comble de malchance, à moins d'avoir un appétit d'oiseau-mouche, ces kilos de plume, contenant peu d'éléments nutritifs, ne calmeront que très provisoirement la faim.

Pour cela il sera donc utile de suivre aussi fidèlement le huitième commandement, qui complète le septième.

Combien de fois ai-je entendu des patients me dire : « Si vous saviez comme j'ai faim, docteur ! » Ce à quoi je répondais invariablement il y a encore 5 ans : « Mangez donc si vous avez faim, mais pas n'importe quoi et pas n'importe comment, s'il vous plaît. » Et auxquels je puis maintenant répondre en plus, sans jamais d'erreur, grâce au tracé de leur morphotype quel aliment ou quel repas ils ont négligé... amical mais implacable verdict ayant immanquablement l'effet de les remplir de confusion.

7. On calme sa faim avec l'animal, jamais avec le végétal

Il faudra surtout éviter de surcompenser les messages de votre appétit en faisant l'erreur de l'apaiser avec des aliments ne correspondant pas à ses besoins. La faim est un message naturel traduisant le besoin d'un complément nutritionnel ; il vous faudra cependant veiller à la satisfaire correctement en la calmant avec l'aliment adéquat à chaque moment de la journée.

Dans ce but, on augmentera si nécessaire :

– le fromage le matin, ou on lui ajoutera œufs et/ou charcuterie à volonté ;

– la viande le midi ;

– le poisson, de préférence gras le soir.

Au cours de la journée, des efforts physiques intenses devront être précédés et accompagnés, surtout pas suivis, par un complément nutritionnel essentiellement végétal mais le plus riche possible en protéines et en lipides, par exemple une banane ou 100 g de cake avant chaque heure d'effort plutôt que des fruits... Nous avons testé des aliments à base de soja qui ne semblent présenter un grand intérêt pour la gestion de l'effort.

La faute en est à ces multiples *a priori* diététiques peu à peu ancrés profondément dans les mœurs et responsables d'une diabolisation des aliments dits nourrissants... Mais nous ne sommes pas faits pour vivre seulement d'amour et d'eau fraîche, il convient de ne pas l'oublier !

8. On ne tente pas de compenser le soir un repas oublié dans la journée

On compensera les manques d'une journée par un gros repas **du matin**, en ajoutant œufs, viandes froides ou chaudes et charcuterie au pain + beurre + fromage du petit déjeuner.

Si nécessaire, votre appétit vous avertira de compléter vos réserves par un plus gros plat au déjeuner du midi.

À l'inverse, le repas du soir pourra être supprimé ou remplacé par un goûter tardif en cas de surcharge.

En résumé, on mangera le matin et le midi pour accumuler les réserves d'énergie qu'on dépense dans la journée, mais le soir pour stocker des réserves en prévision de possibles disettes.

Si l'on veut mincir ou rester mince, il est donc indispensable de se nourrir :

– comme un empereur le matin ;
– comme un roi le midi ;
– comme un prince au goûter ;
– comme un ascète le soir.

9. On mange avec plaisir, mais seulement pour calmer sa faim... sauf si c'est la fête

Ultime conseil : ne vous servez pas quotidiennement de votre bouche pour compenser vos chagrins et vos stress, vous aboutiriez à coup sûr au résultat inverse. Souvenez-vous du buveur qui buvait pour se consoler et que boire rendait malheureux... ce qui l'obligeait à boire pour oublier son chagrin !

Consolez-vous plutôt en participant à de mémorables festins en famille ou entre amis, dont vous garderez un souvenir d'autant plus agréable que vous les aurez dévorés sans honte ni remords !

10. Ce qui est bon pour vous est bon pour les autres

Celui-ci reprend la phrase de la patiente ne pouvant manger correctement parce que ses enfants étaient en vacances ! C'est vrai, je suis resté marqué par cette phrase, mais je pense que vous comprenez pourquoi : elle exprimait, en effet, l'échec total de mon enseignement à la consultation précédente, me donnant la fâcheuse impression d'avoir construit un château de sable à marée basse et ordonné ensuite à la mer de ne pas l'abîmer !

Alors, rappelons-le, la chrono-nutrition nous concerne tous sans exception et il ne sera nécessaire de la modifier qu'en de très rares occasions justifiées par une pathologie ou une intolérance avérées.

Nous expliquons quotidiennement à des mères de famille venues nous consulter l'utilité de faire manger comme elles, aussi bien un fils un peu trop fluet qu'une fille fort dodue et un mari sportif, dans le même but de donner à chacun une silhouette équilibrée.

La partie est d'ailleurs gagnée d'avance quand la maîtresse de maison s'aperçoit de l'énorme avantage consistant à faire, avec bonne conscience, le même plat pour tout le monde à chaque repas.

Conclusion

Tout paraît si facile… et pourtant certains d'entre vous, pendant que d'autres s'enthousiasment, craignent d'adopter un style de vie si différent de leur habituel quotidien.

La chrono-biologie nutritionnelle est un merveilleux mécanisme dont on détruit l'équilibre en mangeant les aliments qui ne conviennent pas aux moments où on les mange. Cette rupture d'équilibre s'accompagnera d'une maigreur si l'on ne mange pas assez, d'une prise de poids et de volume si l'on mange trop.

Si vous êtes trop dodus ou trop maigres à votre goût, c'est donc obligatoirement parce que vous mangez trop ou pas assez. Et si c'est un endroit bien défini de votre corps qui vous pose problème, c'est que vous mangez trop ou pas assez d'une variété précise d'aliment.

Pour éviter ce désagrément, rien ne sera plus sûr que de commencer par suivre scrupuleusement la chrono-nutrition. Celle-ci vous permettra de rééquilibrer vos formes et d'apprendre à gérer votre corps.

La récompense rapide, à peine quatre jours, sera cette sensation merveilleuse de liberté dont je vous ai déjà parlé… mais à plus longue distance l'intérêt pour vous sera de savoir, peu à peu, ce que vous pouvez vous permettre et ce qu'il faudra éviter ou supprimer pour corriger des erreurs, des excès ou des carences. Le secret consiste en fait à apprendre à contrôler parfaitement votre silhouette…

ou à savoir pourquoi elle laisse à désirer ! « Connais-toi toi-même », disait le philosophe grec. Votre morpho-nutritionniste vous apprendra à en faire autant, pour votre plus grand plaisir.

On m'a dit et on me dira encore que c'est une manière coûteuse de se nourrir. C'est heureusement faux, car beaucoup de mes patients ne roulent pas sur l'or, loin de là, et pourtant ils arrivent sans peine à suivre notre schéma nutritionnel avec le même budget.

La raison toute simple en est que vous ne mangerez pas midi et soir ce que vous mangez le matin, et pas le soir ce que vous aurez mangé aux autres repas. De même, plus vous aurez mangé matin et midi, plus cela vous permettra de goûter tard et de manger peu ou pas le soir.

Par exemple : en mangeant le midi 2 steaks ou 2 boudins noirs, on pourra alors goûter plus tard et dîner à peu de frais tout en respectant un rite social ou familial...

Mais il est vrai que pour ceux qui mangent dans des cantines ou plus encore au restaurant, prendre deux parts de viande les gêne parfois considérablement. Il s'agit là d'une crainte bien compréhensible d'aller à l'inverse des usages établis... mais ce sont, hélas, ces usages qui ont fabriqué en Amérique un obèse sur trois et qui font qu'en France, on se dirige sur la même voie.

Changez vos habitudes et votre corps changera.

Bien sûr, on peut tempérer ce changement radical en prenant sa viande sous deux formes le midi, et en associant le soir fruits de mer et poisson.

On peut plus subtilement se couper l'appétit du midi par un petit déjeuner somptueux comme je vous l'ai conseillé, et s'éviter les gros repas du soir par un goûter de rêve.

On passera alors au déjeuner et au dîner pour quelqu'un de bien raisonnable sans pour cela s'être privé.

Car il faut faire surtout attention à ne pas risquer d'avoir faim en sortant de table. Il peut se produire des envies, qu'on calmera avec une infusion à goût sucré comme l'ananas-noix de coco ou le tilleul-menthe ; on ne doit pas ressentir de sensation de « creux ».

Il faut enfin reconnaître que si vous me lisez plus par curiosité que par nécessité, le changement que je propose peut, à vos yeux, ne pas justifier l'effort qu'il implique. La motivation est un puissant moteur... elle peut d'ailleurs pousser aux plus draconiens des régimes, ce que nous ne voulons surtout pas vous imposer.

Aux curieux, je conseillerai donc simplement de respecter la chrono-biologie en suivant la chrono-nutrition, réorganisation raisonnable de l'alimentation humaine :

– un bon gros gras petit déjeuner le matin avec un peu de pain et surtout pas de laitages contenant du lactose ;

– un bon déjeuner de toutes les viandes qu'on voudra le midi avec un peu de féculent ;

– un somptueux goûter de gras végétaux et de fruits ;

– le soir un dîner le plus léger possible... sans oublier que le poisson est le meilleur aliment du soir et que trop de légumes donne des hanches !

Soyez fantaisistes dans vos choix, mais ne les intervertissez pas.

Vérifiez vos mensurations plus que votre poids, ce sont elles qui vous indiqueront si vous êtes dans le droit chemin.

Enfin, si vous n'arrivez pas à contrôler la situation, venez me rejoindre à la première page de mon livre et reprenons ensemble le chemin de la minceur.

Je suis un peu triste de vous quitter après cette longue consultation où j'ai pu enfin vous dire tout ou presque tout ce que vous devez savoir pour maîtriser votre corps et retrouver une sérénité que vous avez bien souvent perdue.

Mais il reste tant et tant à faire, et de lourdes tâches nous attendent à l'institut : il faudra bien nous occuper de toutes ces cantines, de tous ces réfectoires, de tous ces restaurants qui se disent rapides mais qui sont plutôt des usines à bouffe. Censés nourrir correctement la population, ils servent en fait à leurs clients, pour des raisons d'économie ou, pis encore, sous prétexte de diététique, des aliments dont la composition et le mélange me donnent la tentation de m'exprimer comme un certain journaliste...

Il serait en fait facile, pour le même prix, de servir un plat unique suffisamment riche en protéines animales pour assurer une nutrition correcte.

Nous nous sommes, en effet, aperçus à l'institut que la diminution des manipulations et des lavages de la vaisselle, en même temps que la simplification des achats et des services, permettrait, pour le même prix de revient, de servir un repas à la fois plus simple, bien meilleur et beaucoup plus utile à l'organisme.

Autre gros travail : convaincre toutes les personnes placées à des postes de responsabilités nutritionnelles que l'application actuelle à une majeure partie de la population de règles diététiques artificielles et dépassées conduit à une impasse dont il est grand temps de sortir avant d'aboutir au drame américain.

Toutes ces erreurs à corriger... Ma vie, notre vie n'y suffiront sans doute pas... et c'est tant mieux puisque notre seul chagrin de chercheurs serait de nous retrouver inoccupés ou, pis encore, de nous sentir inutiles.

Mais nous ne sommes plus seuls, car vous êtes de plus en plus nombreux à écouter nos conseils et à nous épauler dans notre démarche : à tous ceux auxquels l'alimentation naturelle a rendu la sérénité du corps et de l'esprit, et particulièrement à tous les gens de bonne volonté dont l'adhésion à l'IREN nous a été précieuse, l'équipe de l'institut adresse ses remerciements pour la confiance qu'ils nous témoignent.

Recettes

PETIT DÉJEUNER

Croque-monsieur

Pour 1 personne
(2 croque-monsieur)

4 tranches de pain de campagne
40 g de beurre
80 g de fromage à cuire ou de gruyère râpé
2 tranches de jambon cru

• Faire griller légèrement les tranches de pain de campagne.
• En tartiner 2 avec le beurre, déposer sur chacune 1 tranche de jambon pliée en quatre et 20 g de fromage.
• Couvrir avec les 2 autres tranches de pain et parsemer chaque croque-monsieur de 20 g de fromage.
• Faire chauffer 1 min au four à micro-ondes en position maximum.

Tarte au pont-l'évêque et au livarot

Pour 4 personnes

250 g de pâte brisée
1 pont-l'évêque
1/2 livarot
25 cl de crème
4 œufs
10 g de beurre (pour le moule)
Sel, poivre

• Étaler la pâte, en garnir un moule à tarte de 24 cm de diamètre, bien beurré, piquer la pâte avec une fourchette.
• Laisser en attente au réfrigérateur.
• Ôter la peau des fromages et les couper en dés de 1 cm de côté.
• Dans un saladier, casser les œufs, les fouetter avec la crème, saler et poivrer.
• Préchauffer le four à 210 °C (th. 7).
• Disposer les dés de fromage sur le fond de tarte, puis verser dessus le contenu du saladier ; enfourner pendant 35 min environ.

Conseil : la tarte peut se déguster chaude ou tiède.
On peut aussi la congeler et la réchauffer au four traditionnel (éviter le four à micro-ondes qui ramollirait la pâte)

Tartinettes de neufchâtel

Pour 1 personne

100 g de bondon de Neufchâtel
80 g de baguette de pain
Paprika
Ciboulette
Poivre mignonnette (poivre concassé)

• Couper le pain en rondelles ainsi que le neufchâtel.
• Poser les tranches de fromage sur les rondelles de pain (12 ou 15).
• Couper finement la ciboulette sur 4 à 5 tartinettes.
• Saupoudrer de paprika les 4 à 5 tartinettes suivantes, et de poivre mignonnette les dernières.
• Passer au four sous le gril pendant 2 à 3 min.

Tartines au Rouy et au sésame

Pour 1 personne

70 g de pain aux graines de sésame
100 g de Rouy
20 g de beurre demi-sel

• Fendre le pain, le faire griller juste assez pour qu'il soit doré mais reste bien moelleux.
• Le tartiner de beurre, étaler sur toute sa surface de fines tranches de Rouy.

Quiche lorraine

Pour 4 personnes

250 g de pâte brisée
200 g de lardons fumés et découennés
150 g de crème fraîche
4 œufs
Noix muscade
Sel, poivre blanc

• Étaler la pâte sur 3 mm d'épaisseur. En garnir un moule à tarte antiadhésif de 24 cm de diamètre. Piquer la pâte à l'aide d'une fourchette tous les 3 cm environ.
• Garnir d'une feuille de papier de cuisson recouverte de petits cailloux ronds ou de haricots secs.
• Préchauffer le four à 200 °C (th. 5-6).
• Enfourner et précuire pendant 10 min.
• Pendant ce temps, faire revenir les lardons dans une poêle à feu doux pour qu'ils ne durcissent pas.
• Après les 10 min de précuisson, sortir la tarte du four et laisser celui-ci en attente à 200 °C.
• Enlever le papier de cuisson et disposer les lardons sur le fond de tarte en appuyant légèrement pour qu'ils restent pris dans la pâte.
• Dans un saladier, mélanger les œufs et la crème, poivrer, saler modérément à cause des lardons, ajouter une pointe de noix muscade râpée, verser sur le fond de quiche et enfourner 30 min en veillant à ne pas laisser bouillir la garniture et en surveillant la couleur.
• Quand elle est dorée, vérifier si la cuisson doit être prolongée avec la pointe d'un couteau qui doit ressortir propre quand la cuisson est à point.
• Si la cuisson doit être un peu prolongée, couvrir la quiche avec du papier de cuisson, pour éviter de brûler au-dessus.

Œufs à la coque mouillettes surprises

Pour 1 personne

2 œufs
30 g de mimolette
30 g de gruyère
70 g de pain de campagne
Beurre demi-sel
Persil haché
Sel, poivre du moulin

• Couper des mouillettes dans la mimolette et le gruyère.
• Couper une tranche épaisse de pain de campagne, la faire légèrement griller, la beurrer, la parsemer de persil et la découper en mouillettes.
• Mettre les œufs dans une casserole, les recouvrir d'eau froide. Porter à ébullition sur feu vif.
• Dès que l'eau bout, les œufs sont cuits si vous aimez le blanc laiteux. Laisser bouillir 30 s de plus pour un blanc pris, et 30 s supplémentaires pour un blanc bien pris.
• Saler, poivrer et déguster avec les mouillettes.

DÉJEUNER

Carré d'agneau

Pour 2 personnes

1 carré d'agneau de 700 à 800 g
4 tomates
Huile d'olive
Thym
Romarin
Persil
Sel, poivre du moulin

• Laver les tomates, les creuser légèrement autour du pédoncule et mettre dans la cavité une grosse pincée de romarin, de thym et de persil.
• Saler, poivrer et ajouter 1 cuil. à café d'huile d'olive. Laisser en attente.
• Disposer le carré d'agneau sur un plat allant au four, le saler, le poivrer, le parsemer de thym et de romarin.
• Enfourner à four chaud 210 °C (th. 7) pendant 30 min.
• À mi-cuisson, disposer les tomates autour du carré de viande.

Accompagnement
• Servir avec 2 cuil. à soupe de flageolets par personne.

Bœuf en daube

Pour 4 personnes

2,5 kg de gîte de bœuf
1 couenne de lard
1 bouteille de vin rouge
3 oignons
3 gousses d'ail
1 petite boîte de concentré de tomate
1 languette d'écorce d'orange de 2 cm de large sur 10 cm de long
1 branche de thym
1 feuille de laurier
Quelques queues de persil
Noix muscade
4 baies de genièvre
1/2 verre d'huile d'olive
Sel, poivre du moulin

• Découper la viande en morceaux réguliers, la faire revenir à l'huile d'olive lentement dans une sauteuse, sans laisser noircir l'huile.
• Lorsque la viande est dorée, étendre la couenne de lard au fond d'une cocotte, y placer les morceaux de viande.
• Mouiller avec le vin.
• Ajouter le concentré de tomate, les oignons émincés, l'ail non épluché, la branche de thym ficelée avec la feuille de laurier, les queues de persil et l'écorce d'orange.
• Saler, poivrer, ajouter une râpée de noix muscade et les baies de genièvre.
• Faire partir la cuisson à gros bouillon pendant 10 min, couvrir, laisser ensuite mijoter 3 h à tout petit feu.
• La sauce doit être onctueuse. Si elle est trop abondante, on la réduira à feu vif sans couvercle.

Accompagnement
• Servir avec des tagliatelles, des gnocchi ou des pommes de terre.

Conseil : préparer ce plat la veille ou le dimanche pour la semaine. C'est un plat qui peut se congeler en portions et se réchauffer, donc qui peut se consommer tout seul, à 2, 3 ou 4.

Magrets de canard à la bière

Pour 2 personnes

2 magrets de canard
35 cl de bière
1 grosse échalote ou 2 petites
80 g de beurre
Gros sel de Guérande
Poivre du moulin

L'idéal est d'avoir une saucière électrique :
• Verser la bière dans la saucière, y ajouter l'échalote hachée.
• Faire réduire à température maximale jusqu'à ce qu'il ne reste que 2 cuil. à café de liquide.
• Éteindre la source de chaleur et enlever la cuve pour la faire refroidir.
• Prendre les magrets, inciser la peau en quadrillage.
• Placer le côté peau sur une poêle bien chaude, parsemer l'autre face du magret de gros sel de Guérande, poivrer.
• Couvrir la poêle d'un couvercle antiprojections pour éviter les éclaboussures de graisse, et laisser cuire 5 min.
• Retourner les magrets, diminuer la source de chaleur et cuire encore 2 à 3 min suivant son goût.
• Remettre en place la casserole de la saucière et faire réchauffer celle-ci réglée à 1.
• Ajouter petit à petit des noisettes de beurre jusqu'à réalisation d'une sauce crémeuse.

Accompagnement
• On servira avec des pommes vapeur saupoudrées de persil haché.

Lapin au pain d'épices

Pour 2 personnes

580 à 600 g de râble de lapin en morceaux
3 cuil. à soupe d'huile d'olive
1 oignon émincé
1 échalote hachée
1 gousse d'ail pelée
1 cuil. à soupe de farine
25 cl de bière rousse
25 cl d'eau chaude
1 cuil. à soupe de fond de volaille
1 bouquet garni
Sel, poivre du moulin
60 g de pain d'épices coupé en dés

• Dans une cocotte, faire chauffer l'huile d'olive. Quand elle est chaude, faire dorer les morceaux de râble, puis les enlever et les remplacer par l'oignon et l'échalote.
• Dès qu'ils deviennent transparents, y ajouter les morceaux de râble, saupoudrer de la cuillerée de farine, puis verser dessus la bière, l'eau chaude, la cuillerée de fond de volaille et la gousse d'ail.
• Saler, poivrer et ajouter le bouquet garni ; couvrir et faire mijoter 20 min.
• Ajouter le pain d'épices en le recouvrant de sauce et laisser mijoter doucement à nouveau jusqu'à ce qu'il se fonde en une sauce onctueuse (il faudra compter encore environ 20 min).

Accompagnement
• Servir avec 2 cuil. à soupe de coquillettes par personne.

Palette de porc aux lentilles

Pour 2 personnes

600 g de palette de porc désossée
1 cuil. à soupe d'huile d'olive
1 oignon
1 gousse d'ail
1/4 de litre de bouillon de bœuf
2 cuil. à soupe de crème fraîche
1 feuille de laurier
1 branche de thym
Sel, poivre du moulin

• Piquer la viande avec des éclats de gousse d'ail, comme pour un gigot.
• Dans une cocotte, faire chauffer l'huile d'olive.
• Quand elle est chaude, faire revenir la viande des deux côtés ; ajouter l'oignon émincé qui doit devenir transparent.
• Pendant ce temps, diluer un cube de bouillon de bœuf dans 1/2 litre d'eau bouillante et en verser la moitié dans la cocotte.
• Saler légèrement à cause du bouillon, poivrer.
• Mettre la feuille de laurier et la branche de thym, laisser mijoter 1 h.
• À la fin de la cuisson, ajouter les 2 cuil. à soupe de crème fraîche en remuant pour bien l'incorporer à la sauce ; couvrir et laisser encore cuire 2 à 3 min à feu doux.

Accompagnement
• Servir avec des lentilles au naturel ou des flageolets à la crème.

Poulet à la sauge

Pour 2 personnes

500 g d'escalopes de poulet
2 noix de beurre
10 feuilles de sauge fraîche de préférence
Sel, poivre du moulin

• Faire fondre le beurre sans le laisser brunir et y jeter les feuilles de sauge.
• Déposer les escalopes dans la poêle. Laisser cuire de 3 à 5 min de chaque côté selon l'épaisseur.
• Saler, poivrer, et servir bien chaud.

Accompagnement
• Servir avec des pâtes fraîches.

Thon, tomates et poivrons

Pour 2 personnes

400 g de thon au naturel en boîte
6 tomates
100 g de poivrons rouges ou verts en dés
2 cuil. à soupe d'huile d'olive
Herbes de Provence
Grains de fenouil
Poivre du moulin
1 pincée de sel

• Faire revenir les poivrons dans l'huile d'olive chaude pendant 3 min.
• Y ajouter les tomates coupées en 4, des herbes de Provence, des grains de fenouil, 2 tours de moulin à poivre et la pincée de sel.
• Ajouter les 400 g de thon partagé en morceaux de la taille d'une noix.
• Laisser mijoter environ 10 min.

Accompagnement
• Servir avec du riz ou des pommes de terre.

Côtes de veau aux girolles

Pour 2 personnes

2 côtes de veau de 250 g chacune
200 g de girolles épluchées
1 grosse échalote ou 2 petites
1 gousse d'ail
2 brins de persil plat
1/2 citron (jus)
2 cuil. à soupe d'huile d'olive
Sel, poivre

• Laver soigneusement les champignons après en avoir coupé les bouts terreux, puis les égoutter.

• Dans une poêle, faire chauffer 1 cuil. à soupe d'huile d'olive et mettre les côtes de veau à cuire à feu vif, saler et poivrer.

• Les retourner dès que le premier côté est rissolé, ajouter le reste de l'huile et les champignons.

• Saler, poivrer et laisser cuire pendant 6 à 8 min à feu moyen.

• Éplucher l'échalote et l'ail, les hacher avec le persil, les ajouter aux champignons et cuire encore 2 min.

• Dresser les côtes de veau sur les assiettes chaudes, les entourer des champignons et arroser du jus de citron.

Accompagnement

• Servir avec 2 pommes de terres cuites à la vapeur et saupoudrées de persil et de quelques grains de gros sel de Guérande.

Pizza IREN

Pour 2 personnes

Pâte à pizza
300 g de farine
17,5 cl d'eau
20 g de levure de boulanger
2 cuil. à soupe d'huile d'olive
1 pincée de sel

Garniture
160 g de steak haché
4 œufs
8 rondelles de chorizo
750 g de tomates bien mûres
ou 400 g de tomates pelées en boîte
1 oignon
1 gousse d'ail
2 cuil. à soupe d'huile d'olive
100 g d'olives noires
1 cuil. à soupe d'origan
Sel, poivre

LA PÂTE À PIZZA
• Faire tiédir l'eau (30 °C environ) avec l'huile et le sel, y délayer la levure.
• Sur le plan de travail, disposer 250 g de farine en formant un puits.
• Verser le mélange au centre du puits.
• Malaxer du bout des doigts la farine au centre du puits et pétrir pour obtenir une pâte bien homogène et souple, en ajoutant s'il le faut le reste de farine.
• Former une boule, la couvrir d'un torchon et la laisser lever pendant 1 h 30 dans un endroit tiède, jusqu'à ce qu'elle ait doublé de volume.

LA GARNITURE

• Éplucher les tomates après les avoir plongées 20 s dans l'eau bouillante, les épépiner et les couper en rondelles.
• Éplucher l'oignon et l'émincer. Éplucher la gousse d'ail et enlever le germe.
• Faire chauffer l'huile d'olive dans une casserole, y faire revenir l'oignon.
• Quand il devient transparent, presser l'ail sur l'oignon, faire revenir quelques secondes, puis ajouter les tomates.
• Couvrir et laisser mijoter pendant 30 min.

• Étaler la pâte à pizza en 2 disques de 20 cm de diamètre environ
• Huiler la plaque à pâtisserie du four, y poser les disques de pâte et remonter les bords afin que la garniture reste en place.

• Préchauffer le four à 210 °C (th. 7).
• Faire chauffer 1 cuil. à soupe d'huile d'olive dans une poêle ; y faire rapidement revenir la viande hachée, quelques secondes suffisent.
• Battre les œufs en omelette. Mélanger le tout.
• Répartir sur les pizzas, saler, poivrer, saupoudrer d'origan, parsemer d'olives et de chorizo.
• Enfourner à 210 °C (th. 7) pour 20 min environ, jusqu'à ce que la pâte à pizza soit dorée et croustillante.

Crevettes au cidre en omelette

Pour 2 personnes

300 g de crevettes grises vivantes
50 cl de cidre
50 cl d'eau
4 œufs
1 cuil. à soupe de crème fraîche
1 bouquet garni
2 graines de coriandre
Sel, poivre du moulin

• Dans une casserole, mettre à bouillir le cidre et l'eau, saler fortement, poivrer, ajouter la coriandre, le bouquet garni et maintenir l'ébullition pendant 10 min.
• Dans ce court-bouillon, jeter alors les crevettes vivantes et compter 3 à 4 min de cuisson à partir de la reprise de l'ébullition, puis les sortir à l'écumoire pour les égoutter, les décortiquer et les mélanger à 1 cuil. à soupe de crème.
• Battre les œufs en omelette.
• Dans une poêle, mettre à cuire l'omelette et, quand celle-ci commence à prendre, éparpiller les crevettes crémées, puis rouler l'omelette pour les recouvrir.

Accompagnement
• On servira l'omelette avec 1 pomme de terre vapeur par personne.

Conseil : bien qu'il comporte une bonne part de crevettes, ce plat riche en œufs se mange le midi.

Omelette chinoise

Pour 2 personnes

200 g de viande de bœuf hachée
2 cuil. à soupe d'huile d'olive
4 œufs
2 cuil. à café d'huile de sésame
1 cuil. à café de sauce de soja claire
4 cuil. à soupe de ciboulette bien hachée
Sel, poivre du moulin

Pour la marinade

2 cuil. à café de sauce de soja claire
2 cuil. à café de xérès sec
2 cuil. à café d'huile de sésame
1 cuil. à café de sucre en poudre

• Dans un saladier, mettre tous les ingrédients de la marinade, y mélanger la viande et laisser reposer 20 min.
• Dans une poêle, chauffer à feu vif une première cuillerée à soupe d'huile d'olive ; dès qu'elle devient incolore, ajouter la viande et la faire cuire 2 min en la remuant, puis la retirer.
• Dans le saladier débarrassé de sa marinade, battre les œufs et y ajouter l'huile de sésame, le sel, le poivre, la sauce de soja et la ciboulette.
• Dans la poêle qu'on aura bien essuyée, mettre la seconde cuillerée à soupe d'huile d'olive et chauffer à nouveau à feu vif jusqu'à ce que l'huile devienne incolore. Bien la répartir alors dans toute la poêle, ajouter les œufs battus et les faire revenir toujours à feu vif jusqu'à ce qu'ils commencent à coaguler.
• Ajouter alors la viande et laisser cuire encore 1 min.

Accompagnement
• Servir dans un plat chaud avec un petit bol de riz par personne.

Œufs aux tomates

Pour 2 personnes

6 tomates
6 œufs
3 cuil. à café de basilic haché
2 cuil. à soupe d'huile d'olive
Sel, poivre

• Laver les tomates, les décalotter du côté du pédoncule afin de les creuser à l'aide d'une petite cuillère sans en abîmer les parois
• Saler et poivrer l'intérieur des tomates et y déposer un peu de basilic grossièrement haché.
• Huiler un plat allant au four, préchauffer à 210 °C (th. 7).
• Poser les tomates dans le plat (ou dans des ramequins individuels), casser délicatement un œuf dans chaque tomate et enfourner pendant environ 15 min. Vérifier que le blanc est figé mais que le jaune est encore liquide.

Accompagnement
• Servir avec du riz pilaf.

Riz pilaf

Pour 2 personnes

1 verre de riz cru
1,5 verre d'eau
1,5 cuil. à soupe d'huile d'olive
1 échalote hachée
1 brin de thym
Sel, poivre du moulin

• Faire chauffer l'huile d'olive dans une sauteuse, y faire revenir l'échalote.
• Quand elle est transparente, ajouter le riz en le remuant jusqu'à ce qu'il devienne lui aussi transparent, ajouter alors l'eau bouillante et le thym, saler, poivrer, couvrir et laisser cuire **très doucement sans remuer** jusqu'à absorption complète de l'eau (environ 15 min).

Pour réussir cette recette
• Bien mesurer le volume du riz et ajouter exactement 1 volume 1/2 de liquide.
• Ne pas laisser le riz prendre couleur en le chauffant dans l'huile.
• Veiller à ce que l'eau soit bouillante au moment de la verser sur le riz.

GOÛTER

Poires au sirop nappées de chocolat

Pour 1 personne

4 demi-poires au sirop
30 g de chocolat noir à pâtisserie
10 g de chocolat noir (minimum 52 % de cacao)
1 petite cuil. à café de vergeoise
Quelques amandes effilées

- Dans un grand bol allant au four à micro-ondes, mettre le chocolat coupé en morceaux avec la vergeoise et 2 cuil. à soupe de sirop de poires durant 1 min à puissance moyenne.
- À l'aide d'une fourchette, remuer ensuite le mélange et le verser sur les poires dans un petit bol ou une assiette.
- Parsemer d'amandes effilées et déguster le tout encore tiède.

Cassolette de poire au chocolat

Pour 1 personne

30 g de chocolat noir râpé
1 poire épluchée
1 cuil. à soupe de sucre en poudre
1 pincée de cannelle

• Couper la poire en lamelles et la disposer dans un petit plat.
• Saupoudrer de sucre en poudre.
• Ajouter la cannelle.
• Recouvrir avec le chocolat noir râpé.
• Passer 2 à 4 min au four à micro-ondes en position maximum.
• Laisser tiédir 2 min avant de déguster.

Crème de marron au chocolat

30 g de chocolat noir râpé
1 ramequin de crème de marron

• Poser les 30 g de chocolat noir sur la crème de marron.
• Mettre le tout au four à micro-ondes durant 2 min, position maximum.
• Ce goûter se mange chaud ou froid s'il a été préparé à l'avance.

Pommes cuites à l'orange

Pour 4 personnes

1 kg de pommes golden
1 jus d'orange
1 zeste de citron
200 g de sucre en poudre
1 pointe de noix muscade
1/4 de cuil. à café de cannelle
10 cl d'eau

• Éplucher les pommes, les couper en 8 verticalement et horizontalement.
• Les mettre dans une casserole avec le jus d'orange, le zeste de citron, l'eau, le sucre, la cannelle et la muscade.
• Laisser cuire à couvert à feu moyen jusqu'à ce que les pommes soient devenues transparentes et commencent à se caraméliser légèrement.
• Servir chaud ou glacé.

Sorbet au melon

Pour 6 personnes

3 melons mûrs et parfumés
1 jus de citron
250 g de Confisuc

• Passer la chair des melons au mixer avec le jus de citron et le Confisuc.
• Verser en sorbetière et faire turbiner. Suivant le modèle de sorbetière, la durée de prise peut varier de 1 h 30 à 2 h à l'intérieur du freezer.
• Sans l'appareil, compter 3 à 4 h en remuant de temps en temps.

Sorbet aux fraises

Pour 6 personnes

1 kg de fraises mûres et parfumées
300 g de Confisuc
1 jus d'orange
1 jus de citron
20 cl d'eau

• Dans une casserole, mettre les fraises lavées et équeutées, les jus d'orange et de citron ainsi que le Confisuc.
• Chauffer 3 min.
• Passer au mixer, puis à la passoire.
• Verser en sorbetière et faire turbiner. Suivant le modèle de sorbetière, la durée de prise peut varier de 1 h 30 à 2 h à l'intérieur du freezer.
• Sans l'appareil, compter 3 à 4 h en remuant de temps en temps.

Saumon à l'orange

Pour 2 personnes

500 à 600 g de saumon
2 oranges
4 carottes
1 cuil. à café d'aneth
1/2 cuil. à café de sucre en poudre
1/2 cuil. à café de gros sel de Guérande
1 noix de beurre
Sel, gros sel, poivre du moulin

LES CAROTTES
• Éplucher les carottes et les couper en rondelles.
• Les mettre dans une casserole avec les zestes de 2 oranges. Couvrir d'eau.
• Ajouter le sucre en poudre, saler et poivrer.
• Porter à ébullition et compter 15 min de cuisson.

LE SAUMON
Pendant que les carottes cuisent, préparer le saumon.
• Dans une cocotte ou un cuit-vapeur, ou tout simplement une poêle qu'on couvrira d'une assiette, poser les filets de saumon sans peau sur des rondelles d'orange.
• Saupoudrer avec la moitié de l'aneth et 1/2 cuil. à café de gros sel.
• Faire cuire environ 10 min suivant l'épaisseur des filets.

LA SAUCE

• Faire fondre 1 noix de beurre avec le jus d'une demi-orange et 1/2 cuil. à café d'aneth.

ET ENFIN LE PLAT

• Égoutter les carottes, les disposer autour du saumon, arroser largement avec la sauce.

Moules marinière

Pour 2 personnes

2 litres de moules
3 échalotes hachées finement
1/2 bouquet de persil haché
2 branches de thym
2 feuilles de laurier
20 cl de vin blanc
Poivre du moulin

• Nettoyer soigneusement les moules sous un filet d'eau courante et ne surtout pas les laisser dans l'eau : elles s'ouvriraient et perdraient leur jus.
• Retirer les filaments et éliminer les moules qui ne se referment pas quand on les cogne légèrement.
• Chauffer le beurre dans une grande casserole, y faire fondre les échalotes 2 à 3 min, ajouter les 3/4 du persil haché, le thym, le laurier, le vin blanc et un tour de moulin à poivre ; porter à ébullition.
• Ajouter les moules et les faire ouvrir à feu vif en remuant pour qu'elles soient toutes soumises à la même chaleur.
• Lorsqu'elles sont ouvertes, retirer les moules à l'écumoire et les disposer dans des assiettes creuses, les saupoudrer du reste de persil.

Attention ! Il reste souvent du sable dans le fond de la casserole : il est conseillé de filtrer le jus à travers un linge fin posé sur une passoire avant de le verser sur les moules qu'on servira sans attendre.

Fonds d'artichauts

Pour 4 personnes

8 artichauts
1/2 citron (jus)
Sel

- Dans un grand faitout, faire bouillir 4 à 5 litres d'eau salée.
- Pendant ce temps, casser la queue des artichauts pour arracher le maximum de fils des fonds et retirer les feuilles dures du tour.
- Laver les artichauts en écartant les feuilles, couper le haut des feuilles.
- Quand l'eau bout, y plonger les artichauts, ajouter le jus de citron et laisser cuire de 25 à 30 min.
- Quand ils sont cuits, les égoutter et ôter les feuilles, qu'on pourra manger le lendemain avec une vinaigrette, en veillant à ne pas abîmer les fonds.
- Retirer les fonds et les disposer dans le plat de service. Ces fonds d'artichauts constituent un parfait accompagnement pour la blanquette de lotte safranée (p. 309).

Blanquette de lotte safranée aux fonds d'artichauts

Pour 4 personnes

Pour le court-bouillon
1,5 litre d'eau
1,5 litre de vin blanc sec
1 orange non traitée
1 carotte épluchée
1 oignon piqué d'un clou de girofle
1 branche de céleri
1 bouquet garni (persil, thym, laurier)
4 graines de coriandre
Sel, poivre

Pour la lotte
1 bon kg de queues de lotte épluchées et débarrassées de leur os
1 brin de coriandre fraîche
Sel, poivre du moulin

Pour la sauce
15 cl de crème fraîche (4 cuil. à soupe)
1 gros jaune d'œuf ou 2 petits
1 g de safran en filaments
Sel, poivre du moulin

Pour l'accompagnement
8 fonds d'artichauts
1/2 citron (jus)
Sel

LE COURT-BOUILLON
• Prélever le zeste de l'orange et le tailler en fins bâtonnets, puis presser l'orange pour en recueillir le jus.
• Dans une grande casserole, verser l'eau, le vin blanc, le

jus de l'orange, le zeste, les graines de coriandre, le bouquet garni, l'oignon, la carotte et la branche de céleri, saler, poivrer.
• Couvrir et porter à ébullition que l'on maintiendra à petits frémissements pendant 20 min. Laisser refroidir. (On peut le faire la veille.)

LA LOTTE
• Mettre les queues de lotte dans une grande casserole, verser le court-bouillon refroidi et porter à ébullition à feu moyen.
• Quand le bouillon frémit, sortir les queues de lotte à l'écumoire et les maintenir au chaud.
• Filtrer le court-bouillon à l'aide d'une passoire au-dessus d'une casserole à large fond, sur feu vif, et laisser réduire de moitié.

LA SAUCE
Pendant que le court-bouillon réduit :
• Dans un grand bol ou un saladier, mélanger 1 cuil. à soupe de crème fraîche avec le jaune d'œuf.
• Quand le court-bouillon a réduit (il doit en rester environ 1 litre), ajouter les 3 dernières cuillerées de crème en fouettant le mélange, mettre le safran et faire réduire d'un tiers pour qu'il en reste environ 65 cl.
• Baisser le feu, **à partir de ce moment il ne doit plus bouillir**.
• Prélever une louche de court-bouillon crémé et la verser en fouettant vivement dans le mélange œuf-crème, puis une deuxième louche tout en fouettant.
• Verser lentement le contenu du bol dans le court-bouillon crémé, laisser cuire sans cesser de remuer pendant 5 min, y déposer les lottes pour les réchauffer

LES FONDS D'ARTICHAUTS
• Suivre la recette p. 308.

LE PLAT
• Dans un plat creux de service préchauffé, disposer les queues de lotte entourées de 8 fonds d'artichauts.
• Recouvrir de sauce, parsemer de feuilles de coriandre grossièrement hachées.

Cabillaud au curry

Pour 2 personnes

600 g de cabillaud en morceaux
1 oignon émincé en tranches fines
1 gousse d'ail écrasée
1 cuil. à soupe d'huile d'olive
1 cuil. à soupe de farine
1 cuil. à café de curry Madras
1 verre de vin blanc
Sel, poivre

• Dans une poêle, faire chauffer la cuillerée à soupe d'huile d'olive, y faire fondre l'oignon émincé.
• Fariner les morceaux de poisson en les secouant pour en ôter l'excès de farine, les poser dans la poêle quand l'oignon est devenu transparent.
• Saler, poivrer, ajouter le vin blanc et la gousse d'ail écrasée, saupoudrer de curry.
• Couvrir et laisser cuire 15 min à feu moyen.
• Si l'on a un bon estomac, on peut y ajouter une pointe de poivre de Cayenne qui en relèvera le goût à merveille.

Accompagnement
• Servir avec des courgettes à l'orientale (p. 320).

Artichauts aux fruits de mer

Pour 1 personne

1 artichaut
100 g de noix de pétoncles
300 g de moules
3 crevettes roses
1 cuil. à soupe de crème fraîche
1 cuil. à soupe d'huile d'olive
Sel, poivre
Aromates aux algues

• Parer l'artichaut en enlevant la queue et en coupant ses feuilles à la moitié environ.
• Le faire cuire dans l'eau bouillante salée 40 à 45 min.
Il est à point quand les feuilles résistent légèrement lorsqu'on les tire.

Pendant ce temps :
• Décortiquer les crevettes.
• Ouvrir les moules en les mettant à feu vif dans une casserole ouverte, puis les séparer de leur coquille en réservant leur jus d'ouverture.
• Poêler ensuite les noix de pétoncles et leur ajouter les moules et les crevettes décortiquées.
• Lorsqu'il est cuit, évider l'artichaut de son foin et de ses feuilles quand il est le plus chaud possible et remplacer ceux-ci par les fruits de mer disposés sur le cœur.
• Faire fondre la crème fraîche dans le jus des moules et, au premier bouillon, verser sur l'artichaut farci.
• Enfourner celui-ci pendant 5 à 7 min à 210 °C (th. 7).

Recette du restaurant Ti Glaz Du.

Papillote de julienne sur lit de poireaux

Pour 2 personnes

600 g de julienne
4 petits poireaux
2 rectangles de papier sulfurisé
1 noix de beurre
2 cuil. à café de crème fraîche
Aneth
Sel de Guérande, poivre du moulin

• Émincer les poireaux : après en avoir coupé les extrémités pour les débarrasser des parties sales ou abîmées, les tailler en fines lanières de 4 cm de long sur 3 mm de large avec la pointe d'un couteau.
• Faire fondre ensuite la noix de beurre, y mettre les poireaux, saler légèrement, poivrer et saupoudrer d'aneth, ajouter 2 cuil. à soupe d'eau, laisser cuire 10 min à feu doux en remuant sans laisser prendre couleur.
• Pendant ce temps, préparer les papillotes : dans chaque rectangle de papier sulfurisé, déposer la fondue de poireaux, poser par-dessus les filets de julienne, puis saupoudrer d'aneth, de sel de Guérande et de poivre.
• Ajouter 1 cuil. à café de crème fraîche.
• Passer au four à 160 °C (th. 5-6) pendant 20 min.

Cuisse de lapin au cidre et tagliatelles de courgette

Pour 1 personne

1 cuisse de lapin
2 tranches fines de lard fumé
1 courgette
1 oignon
1 brin de thym effeuillé
15 cl de cidre
1,5 cuil. à soupe d'huile d'olive
Sel, poivre

- Préchauffer le four à 210 °C (th. 7).
- Préparer la cuisse de lapin en l'enveloppant dans les deux tranches de lard fumé.
- Mettre dans un plat allant au four avec 1/2 cuil. à soupe d'huile d'olive, l'oignon, le thym et le cidre.
- Couvrir le plat d'un papier d'aluminium.
- Cuire à 210 °C (th. 7) pendant 30 min.

PENDANT CE TEMPS
- Laver la courgette *sans l'éplucher* et la tailler dans le sens de la longueur avec un couteau économe.
- 10 min avant la fin de la cuisson du lapin, verser dans une poêle 1 cuil. à soupe d'huile d'olive, y faire revenir les tagliatelles de courgette, saler et poivrer.

DRESSER L'ASSIETTE
- Servir la sauce de cuisson avec l'oignon sur la cuisse de lapin.
- Ajouter les tagliatelles de courgette.

Recette du restaurant Ti Glaz Du.

Blanc de volaille aux petits légumes

Pour 2 personnes

2 escalopes de poulet de 120 g chacune
1 poireau
1 carotte
1 petit morceau de céleri-rave (1 tranche)
4 champignons de Paris moyens
1 échalote
2 brins de persil plat
10 cl de vin blanc
1 cuil. à soupe de crème fraîche
1,5 cuil. à soupe d'huile d'olive
Sel, poivre du moulin

• Ouvrir les escalopes de poulet, saler, poivrer et laisser en attente.

• Éplucher la carotte et le céleri, les hacher finement, les faire revenir dans 1 cuil. à soupe d'huile d'olive, ajouter l'échalote ciselée.

• Éplucher les champignons, mettre de côté les chapeaux entiers mais hacher finement leurs pieds et les ajouter aux autres légumes ; laisser cuire le tout 5 min.

• Avec cette préparation de petits légumes, farcir les escalopes que l'on maintiendra refermées avec des petites piques en bois, et farcir aussi les chapeaux des champignons.

• Éplucher le poireau, le couper très fin, le faire revenir dans la 1/2 cuil. à soupe d'huile d'olive sans qu'il prenne couleur, ajouter le vin blanc et mixer le mélange.

• Au premier bouillon, ajouter les escalopes farcies, cuire 8 min doucement, puis enlever les escalopes et les garder au chaud.

• Mettre à cuire les champignons pendant 3 min dans la

même préparation qui a servi à la cuisson des escalopes, puis les garder au chaud.

• Remettre à chauffer la préparation de poireau, ajouter la crème et laisser se former un bouillon.

• Dresser les assiettes avec l'escalope et les champignons, verser sur le tout la sauce et parsemer de persil haché.

Recette du restaurant Ti Glaz Du.

Côtes de porc sauce curry et oignons

Pour 2 personnes

Pour les côtes de porc
4 côtes de porc
Sel, poivre

Pour la sauce
2 cuil. à soupe d'huile d'olive
1 oignon
1 noix de pâte de curry (qui s'achète en pot dans les grandes surfaces)

LES CÔTES DE PORC
• Faire chauffer une poêle antiadhésive, y poser les côtes de porc, bien les saisir des deux côtés, baisser le feu et laisser cuire à feu doux, saler et poivrer.

LA SAUCE
• Dans une poêle, mettre à chauffer les 2 cuil. à soupe d'huile d'olive, y faire fondre l'oignon émincé très finement, ajouter éventuellement 1 cuil. à café d'eau pour que l'oignon reste très moelleux et le faire cuire jusqu'à ce qu'il commence à se colorer à peine.
• Quand l'oignon est à peine coloré, délayer la pâte de curry et allonger la sauce en rajoutant un peu d'eau si nécessaire.

SERVIR
• On nappera avec cette sauce les quatre côtes de porc.

Accompagnement
• Servir avec des courgettes à l'orientale (p. 320).

Magret de canard aux brocolis et sauce anchois

Pour 2 personnes

1 magret de canard
300 g de brocolis
1 petit bol d'anchoïade provençale
1 cuil. à café de crème fraîche
Gros sel de Guérande
Poivre du moulin

LA SAUCE
• Mélanger 2 cuil. à soupe d'anchoïade et 1 cuil. à café de crème fraîche dans un petit bol.
• Mettre à chauffer au four à micro-ondes pendant 1 min à puissance moyenne.

LE MAGRET
• Inciser la peau du magret en quadrillage, le placer côté peau sur une poêle bien chaude, parsemer l'autre face du magret de gros sel de Guérande et poivrer.
• Couvrir la poêle d'un couvercle antiprojections pour éviter les éclaboussures de graisse ; laisser cuire 5 min.
• Retourner le magret, baisser la source de chaleur de la cuisinière et cuire encore 2 à 3 min suivant son goût.

LES BROCOLIS
• Porter à ébullition une casserole d'eau salée, y plonger les brocolis séparés en petits bouquets.
• Maintenir l'ébullition pendant 3 min, les sortir, les égoutter et les disposer autour du magret sur le plat de service.

• On servira la sauce à part.

Champignons à l'échalote

Pour 2 personnes

200 g de champignons de Paris
2 échalotes
2 brins de persil plat
25 g de beurre
1 cuil. à soupe d'huile d'olive
Sel, poivre du moulin

• Dans une poêle, faire fondre 25 g de beurre avec la cuillerée à soupe d'huile d'olive.
• Quand le mélange est chaud, faire revenir les 2 échalotes hachées.
• Quand elles sont transparentes, y ajouter les champignons coupés en lamelles.
• Saler et poivrer.
• Faire cuire à feu vif en remuant de temps en temps jusqu'à évaporation de l'eau rendue par les champignons.
Au moment de servir, saupoudrer de persil haché.

Courgettes à l'orientale

Pour 6 personnes

500 g de courgettes
1 kg de tomates épluchées et épépinées
3 oignons émincés
2 gousses d'ail
1 racine de gingembre de 8 cm râpée
1 pincée de coriandre en poudre
1 cuil. à café de cumin en poudre
1/2 cuil. à café de chili
Sel, poivre du moulin

• Laver les courgettes, couper les extrémités.
• Les couper en 2 dans le sens de la longueur et les émincer en tranches de 1 cm d'épaisseur.
• Dans une sauteuse, mettre les oignons émincés, les gousses d'ail débarrassées de leurs germes et pressées, le gingembre, la coriandre, le cumin et le chili.
• Mouiller avec 5 cl d'eau, mélanger et faire fondre à feu moyen environ 5 min.
• Ajouter les tomates, saler, poivrer, bien mélanger et faire cuire 15 min.
• Enfin, ajouter les courgettes et faire cuire le tout pendant 25 min, toujours à feu moyen.

Les courgettes accompagneront tous les plats du soir et pourront se manger chaudes ou froides.

Endives braisées

Pour 2 personnes

2 endives
1 noix de beurre
1/2 citron (jus)
1 cuil. à café de sucre en poudre
Sel, poivre

• Pour éplucher les endives, enlever les feuilles abîmées, couper le pied et, à l'aide d'un couteau pointu, éliminer le centre du trognon où se concentre l'amertume.
• Essuyer les endives, ne pas les laver ce qui en renforce l'amertume.
• Les couper en tronçons d'un bon centimètre.
• Faire fondre le beurre dans une sauteuse, ajouter les endives, arroser avec le jus de citron, saler, poivrer et saupoudrer de sucre.
• Couvrir, faire cuire 7 min, enlever le couvercle et poursuivre la cuisson encore 7 min à feu un peu plus vif pour faire évaporer un maximum d'eau.

Les endives braisées accompagneront les viandes blanches du soir.

Tomates sur le gril

Pour 1 personne

4 petites tomates
Huile d'olive
Sel

- Choisir des tomates rondes *très fermes*.
- Bien huiler le gril.
- Poser les tomates sur le gril, côté pédoncule vers les braises.
- Laisser cuire à feu modéré 15 à 20 min sans y toucher.
- Les retirer à l'aide d'une spatule pour ne pas les faire éclater, car la cuisson les a rendues très fragiles.
- Les saler sur l'assiette.

Les tomates sur le gril accompagneront très bien un poisson grillé ou cuit en papillotte.

MENU DE NOËL

Soufflé au crabe

C'est un soufflé avec une sauce béchamel qu'il faudra préparer en premier.

Pour 4 personnes

Pour la béchamel
25 cl de lait
50 g de beurre
25 g de farine
1/2 cuil. à café de sel
1 pincée de noix muscade
3 tours de moulin à poivre

Pour le soufflé
4 œufs
200 g de chair de tourteau ou d'araignée
1 poivron rouge
1 cuil. à soupe de vermouth
1 pointe de poivre de Cayenne
30 g de beurre

LA BÉCHAMEL
• Dans une casserole, faire fondre le beurre avec la farine en mélangeant bien à la cuillère en bois pour obtenir une consistance onctueuse.

• Verser le lait d'un seul coup, ajouter sel, poivre et muscade.
• Porter à ébullition sans arrêter de tourner.

LE SOUFFLÉ
• Éplucher le poivron rouge, en enlever les pépins, le couper en dés.
• Faire revenir les dés de poivron 5 min à feu doux dans une noix de beurre (15 g), puis les passer au mixer.
• Émietter la chair du crabe.
• Casser les œufs : réserver les blancs dans le bol du mixer et incorporer les jaunes rapidement dans la béchamel chaude *mais hors du feu et pas bouillante* (sinon ils coaguleraient en masse).
• Ajouter le poivron, le crabe, le vermouth, le poivre de Cayenne.
• Préchauffer le four à 180 °C (th. 6).
• Monter les blancs en neige très ferme avec 1 pincée de sel.
• Verser sur le mélange tiède en soulevant délicatement les blancs pour les incorporer à la préparation.
• Verser dans un moule beurré.
• Creuser légèrement le milieu du soufflé pour qu'il lève régulièrement.
• Mettre au four à 180 °C (th. 6) et laisser cuire 20 min.

Servir immédiatement car si le soufflé attend, il retombe !

Dinde aux épices

Pour 10 personnes

1 dinde de 3 à 4 kg
4 cuil. à soupe de graines de sésame

Pour la farce
4 ou 5 foies de volaille
1 tranche de jambon
200 g de champignons de Paris
3 échalotes
1 cuil. à soupe de persil haché
1 œuf
30 g de beurre
1 tranche de pain de campagne (mie)
1/2 tasse de lait
1 verre à liqueur de cognac
1/4 de cuil. à café de coriandre en poudre
1/4 de cuil. à café de mélange quatre épices
1 cuil. à café de paprika
1 pointe de poivre de Cayenne
1 cuil. à café de sel fin

Pour la sauce
3 tomates
2 poivrons rouges
2 oignons
1 petit piment
ou 1/4 de cuil. à café de poivre de Cayenne
1/4 de cuil. à café de cannelle
1/4 de cuil. à café de grains de fenouil
3 ou 4 cuil. à soupe d'huile d'olive
Sel fin

LA FARCE
• Faire fondre une noix de beurre, y mettre les foies de volaille jusqu'à ce qu'ils deviennent fermes (en cuisine on dit raides).
• Ajouter le cognac et faire flamber.
• Éplucher et hacher échalotes et champignons ; leur faire rendre l'eau dans une noix de beurre.
• Faire tremper la mie de pain dans le lait, l'essorer.
• Hacher le jambon et les foies, les ajouter aux échalotes et aux champignons avec le pain, le persil haché, les épices (coriandre, mélange quatre épices, paprika, poivre) et le sel.
• Casser l'œuf et mélanger le tout.

LA DINDE
• Remplir la dinde avec la farce obtenue. Recoudre l'ouverture.
• Huiler la dinde, puis la mettre au four à 180-190 °C (th. 6-7) et laisser cuire 2 h 30.
• Pendant ce temps, préparer la sauce.

LA SAUCE
• Dans une casserole, faire chauffer l'huile d'olive. Y faire revenir les oignons émincés en tranches fines, les tomates épluchées coupées en dés et les poivrons coupés en lanières.
• Ajouter le sel et les épices.
• Quand les légumes sont ramollis, les passer au mixer et mettre le tout dans un saladier.
• Quand la dinde est cuite, ajouter son jus et verser la sauce onctueuse ainsi obtenue dans une saucière.

SERVIR
• Dans une poêle antiadhésive, faire griller les graines de sésame.
• Découper la dinde, la disposer dans un plat tenu au

chaud, la saupoudrer avec les graines de sésame et la servir accompagnée de sa sauce.

Conseil : on peut préparer la veille la farce et la sauce, à laquelle il ne manquera que le jus de la dinde, qu'on ajoutera après la cuisson de celle-ci.

Mousse au citron

Pour 6 personnes

4 œufs
2 boîtes de lait concentré
1 verre de jus de citron
1 zeste de citron

• Dans un grand bol, battre le blanc des 4 œufs pour obtenir une neige bien ferme.
• Dans un saladier, mélanger le lait, le zeste et le jus de citron. Incorporer les jaunes d'œufs, puis ajouter les blancs en neige et les lier délicatement au mélange en versant celui-ci à la spatule sur les blancs *sans touiller.*
• Verser dans un plat beurré.
• Passer 5 min sous le gril du four, porte entrouverte.
• Servir immédiatement.

Annexes

Quand la science s'applique au quotidien

par

Jean-Robert Rapin, professeur de pharmacologie

Améliorer, grâce aux découvertes scientifiques des chercheurs, l'alimentation de tous les jours, c'est le pari qu'ont engagé il y a des années un scientifique et des médecins. Pari réussi puisque l'expression en est cette nouvelle approche de la nutrition.

Mais il est indispensable de comprendre comment une telle association a pu aboutir à un nouvel art de vivre.

En tant que pharmacologue, je m'occupe par définition du médicament sous l'aspect de son mécanisme d'action et de son bon usage en pratique quotidienne.

Au cours des années passées, de nombreuses publications ont montré que les aliments pouvaient changer le devenir du médicament dans l'organisme et, parfois même, son activité.

En revanche, peu d'études étaient consacrées aux modifications du métabolisme digestif lors de la prise de médicaments.

Ces constatations m'ont amené à étudier la nutrition plus en détail avec un regard neuf, et j'ai eu alors la surprise de la découvrir encombrée d'affirmations sans preuves scientifiques valables, ou au moins discutables.

Et pourtant, bien se nourrir et apporter avec soin les quantités indispensables de tous les éléments nécessaires à notre organisme permettrait de diminuer l'apparition d'un grand nombre de maladies.

On a dit par exemple, sans qu'il y ait la moindre preuve formelle, qu'il ne faut pas manger de pain, que les protéines animales sont mauvaises pour la santé, que les graisses animales devraient être exclues de notre alimentation, etc.

Sur le plan médical, des concepts non étayés sont ainsi proposés au médecin qui, de bonne foi, les rapporte à ses patients et véhicule ainsi des erreurs qui perdurent.

Il est très surprenant de constater que, à côté du sérieux scientifique qui préside à la mise sur le marché d'un médicament, pour lequel les preuves de son efficacité doivent être apportées, il existe un grand flou pour les aliments.

Depuis quelques années, on peut espérer une amélioration de l'information concernant la nutrition, et surtout des explications quant à l'utilisation des aliments, mais il reste beaucoup à faire.

L'alimentation actuelle des Français fait l'objet de nombreuses études scientifiques, non seulement au niveau de l'Hexagone, mais également au niveau international, qui font conclure au « paradoxe français ».

En effet, les Français ont la réputation méritée de bien manger (en quantité et surtout en qualité) et, parallèlement, ils arrivent en tête des pays industrialisés quant au faible nombre d'accidents cardio-vasculaires et cérébro-vasculaires.

Cette victoire tient certes au fait de l'utilisation d'une médecine préventive contre les facteurs de risques (hypertension, diabète, hypercholestérolémie, etc.), mais également, et peut-être surtout, à une meilleure nutrition.

C'est exactement le but qu'a atteint la chrono-nutrition comme l'a objectivé de façon indiscutable l'étude « Bilan lipidique : intérêt de la chrono-nutrition » parue dans le journal scientifique *NAFAS* de juin 2003, et il m'a paru nécessaire de vous la donner à lire dans les pages qui suivent. Elle apporte en effet la preuve incontestable que la chrono-nutrition est non seulement le moyen de maîtriser sa silhouette et son poids, mais permet également de lutter contre le risque lié aux troubles du cholestérol.

Bilan lipidique : intérêt de la chrono-nutrition

Les habitudes alimentaires traditionnelles des Français leur permettent une alimentation diversifiée mais, au regard des recommandations, trop riche en acides gras saturés apportés par les produits laitiers (fromage en particulier), les viandes grasses, la charcuterie et les œufs. Pourtant, les Français ont un pourcentage de maladies cardio-vasculaires beaucoup moins importants (145/100 000 habitants/an) qu'aux États-Unis (315/100 000/an) alors que, dans ce pays, le cholestérol et les acides gras sont les ennemis numéro un, ce qui a permis la mise sur le marché de nombreux produits allégés en corps gras, voire sans corps gras. Actuellement, la théorie lipidique, comme risque d'athérogénicité, est très combattue avec des arguments convaincants :

– les régimes à moins de 30 % de calories d'origine lipidique et à teneur élevée en glucides sont à la base d'une multiplication du nombre d'obèses et de diabètes non insulino-dépendants, et ce pour deux raisons. La première tient compte d'une hypersécrétion d'insuline pour maintenir la glycémie avec, en corollaire, une lipogenèse (l'insuline est l'hormone d'activation des adipocytes). La seconde est liée à la diminution des rétro-contrôles exercés lors de la synthèse des acides gras par les acides gras d'origine alimentaire ;

– les acides gras saturés sont indispensables au bon fonctionnement des membranes cellulaires au même titre que les acides gras polyinsaturés. Une étude récente, réalisée à Framingham, démontre de manière surprenante, dans le cadre de la théorie lipidique, que l'apport d'acides gras saturés (et non polyinsaturés) est associé à une diminution du risque d'accident ischémique cérébral ;

– l'acide myristique, que l'on trouve dans le beurre, était considéré comme l'un des acides gras saturés les plus dangereux. Ici encore, un apport raisonnable a des effets favorables sur les triglycérides circulants, le cholestérol et le rapport HDL/LDL[1].

Il ressort de ces études que, d'une part, les acides gras saturés sont nécessaires, l'important est l'équilibre entre acides gras saturés et polyinsaturés. La diversification des aliments permet de répondre

1. H. Dabadie, « Les acides gras saturés : du nouveau et de l'ancien », *Métabolismes, Hormones, Nutrition*, 4, 150-153, 2002.

à cette exigence. À l'inverse de la théorie lipidique controversée, on peut avancer la théorie glucidique. Ce seraient les glucides qui provoqueraient l'apparition d'athérome et qui seraient dangereux. Le Programme National de Nutrition Santé (PNNS) conseille un rapport glucides/lipides/protides de 4/2/1. Ce programme est une avancée considérable par rapport aux autres recommandations. Cependant, si le taux de lipides semble bon, il faudrait diminuer le taux de glucides et augmenter l'apport protéique.

Par ailleurs, aucune recommandation ne tient compte de deux composantes qui sont pourtant de la première importance :

– la chrono-biologie, alors que l'on connaît les variations nycthémérales importantes de l'activité des hormones, des médiateurs et des enzymes. L'application de cette chrono-biologie à la nutrition a donné la chrono-nutrition, développée au sein de l'IREN. On sait, empiriquement, que la prise de glucides lents le matin au petit déjeuner supprime le coup de barre de onze heures et permet aux écoliers d'avoir une attention soutenue toute la matinée. On sait aussi que ces mêmes glucides pris le soir au coucher sont stockés, avec en corollaire une prise de poids. De façon surprenante, ces constatations n'ont jamais fait l'objet d'études sérieuses ;

– les interactions alimentaires[2] : de nombreux constituants de l'alimentation réagissent entre eux avec comme conséquence des risques de carences si l'alimentation est monotone. Prenons l'exemple du calcium et du fer qui interagissent entre eux lors de l'assimilation : que penser d'un repas carné suivi de la prise de fromage en quantité importante ?

Ces deux composantes ont été prises en compte dans l'élaboration d'une hygiène alimentaire que nous rapportons ici. Cette méthode d'alimentation a été proposée en étude d'intervention à des patients désirant perdre du poids. Il nous a semblé indispensable d'étudier chez ces patients le bilan lipidique afin de démontrer le bien-fondé de la théorie glucidique.

Échantillon de population étudiée

Cent soixante-seize patients ont été inclus dans cette première

2. J.-R. Rapin, « Interactions alimentaires », *Nafas*, 4, 68-74, 2001.

étude, essentiellement des femmes (n = 165) en raison du besoin féminin de perdre du poids, plus important que chez l'homme.

Ces patients présentaient tous un indice de masse (IMC) supérieur à 25. Ils ont été stratifiés en deux groupes d'IMC : de 25 à 30 compris (surcharge corporelle) et supérieur à 30 (obésité). Il s'agit de patients adultes d'âge moyen de 52,2 ± 12,9 ans. Ces patients se sont engagés à suivre la méthode pendant trois mois avec une prise de sang avant le début et une prise de sang après trois mois pour la détermination du cholestérol total, des LDL et HDL cholestérol et des triglycérides. Il s'agit du bilan lipidique classique. On n'observait aucun traitement médicamenteux hypolipémiant et, en raison des résultats, aucun traitement n'a été mis en place.

Apport nutritif : la chrono-nutrition

Pendant trois mois, ces patients se sont nourris selon des principes simples avec quatre repas quotidiens :

– un petit déjeuner copieux à base de pain, beurre et différents types de fromages ;

– un déjeuner type plat unique, riche en viande accompagnée de féculents en petite quantité ;

– un goûter riche en glucides et en vitamines ;

– un souper léger à base de poisson de mer froide et de fibres.

Les quantités sont calculées en fonction de la taille du patient et varient de ± 20 % des valeurs données, dans le tableau 1 (p. 336), à titre d'exemple pour un individu de 1,70 m. Dans ce tableau sont précisés les apports caloriques et les pourcentages des trois constituants principaux des aliments.

Tableau 1. Apport calorique de la méthode

Petit déjeuner			
	Fromage	Pain	Beurre
Quantité (g)	100	70	20
Kcal	345	167	150
Glucides (%)	0	82	0
Protides	26	13	0,3
Lipides	73	5	99,7

Déjeuner		
	Viande (rouge)	Féculents (frites, lentilles, etc.)
Quantité (g)	230	60
Kcal	250	204
Glucides (%)	0	79
Protides	82	14
Lipides	16	7

Goûter		
	Chocolat, fruits secs	Fruits frais, jus de fruit...
Quantité (g)	35	100
Kcal	250	50
Glucides (%)	10	80
Protides	10	7
Lipides	80	5

Dîner		
	Poissons, volaille	Légumes verts, salade
Quantité (g)	170	70
Kcal	210	25
Glucides (%)	0	60
Protides	30	30
Lipides	70	6

Ces valeurs sont approximatives en fonction du choix des aliments du patient ; l'objectif est l'absence de sensation de faim. Néanmoins, on peut observer :

– une diminution de l'apport calorique total de l'ordre de 1 600, ce qui est souhaitable dans la mesure où ces patients désirent perdre du poids ;

– par rapport au PNNS, une faible quantité de glucides sous forme de sucres lents, un accroissement de l'apport protéique et une augmentation des lipides ;

– les lipides saturés sont ingérés le matin alors que les insaturés sont pris le soir ; les pourcentages relatifs répondent aux recommandations actuelles ;

– les protéines sont réparties sur les quatre repas, d'où l'absence de sensation de faim ;

– les apports en vitamines lipo et hydrosolubles, en éléments traces (y compris l'iode) sont en accord avec les recommandations actuelles ;

– les fibres sont peut-être insuffisantes si le pain du matin n'est pas complet.

Résultats

Dans le tableau 2 (p. 338) sont rassemblés les résultats concernant l'IMC en tenant compte des deux strates. En trois mois de ce régime hypocalorique, sans que les patients aient eu une sensation de faim, on observe une diminution significative de l'IMC. Ce résultat est observé sur la population totale et sur les deux strates prévues au début de l'étude. On peut cependant remarquer que la diminution de l'IMC est en rapport avec sa valeur initiale. En suivant cette méthode, les obèses perdent relativement plus de poids. Il existe d'ailleurs une corrélation significative entre la valeur initiale de l'IMC et la variation de l'IMC (r = 0,15).

Tableau 2. Analyse de l'IMC

Patients	IMC avant	IMC après	Z_0	T_0	Significativité
Total (176)	32,5 ± 5,3	30,3 ± 5,1	7,99	1,96	**p<0,01
Surpoids (82)	27,1 ± 1,3	25,4 ± 1,6	7,26	1,96	**p<0,05
Obèses (94)	35,2 ± 4,1	33,0 ± 4,6	9,06	1,96	**p<0,01

M ± ES, test de série appariée sur la différence des IMC.

Les résultats biologiques sont regroupés dans le tableau 3 (ci-dessous). L'analyse de ces résultats montre :

– une baisse significative du taux de cholestérol total ; il existe de plus une corrélation entre la baisse du cholestérol et sa valeur initiale (r = 0,15). Chez tous les individus ayant une valeur initiale du cholestérol supérieure à 2,30 g/l, on observe une baisse de ce dernier ;

– une baisse significative des triglycérides avec, ici encore, l'existence d'une corrélation entre la diminution et la valeur initiale ;

– une baisse significative des LDL et une augmentation significative des HDL ; ce résultat est plus net chez les obèses que chez les patients en simple surpoids.

Tableau 3. Valeurs du cholestérol, des triglycérides, de l'HDL et du LDL-cholestérol avant et après les trois mois d'application de la méthode de la chrono-nutrition.

	Avant régime	Après régime	Différence
Cholestérol g/l	2,58 ± 0,34	2,49 ± 0,40	0,07 – S
Triglycérides g/l	1,12 ± 0,57	1,02 ± 0,5[illegible]	0,10 – S
LDL g/l	1,84 ± 0,70	1,58 ± 0,52	0,27 – S
HDL g/l	0,66 ± 0,22	0,80 ± 0,21	0,06 – S

M ± ES, analyse par appariement. S : significatif.

Discussion

L'objectif de ce travail était double : d'une part, vérifier que l'hypothèse glucidique était valide et, d'autre part, démontrer l'intérêt de la chrono-nutrition dans la perte de poids sans entraîner de désordre lipidique.

L'apport en lipides saturés dans cette méthode est élevé sans dépasser les recommandations. Ces lipides saturés sont essentiellement apportés le matin au petit déjeuner. Classiquement, on pense que cet apport matinal d'acides gras est suivi de leur utilisation comme source d'énergie et que, par conséquent, ils ne sont pas stockés. De même, les glucides lents donnés le matin sont peu utilisés pour la lipogenèse. Ces hypothèses semblent confirmées par cette étude. De plus, on pouvait s'attendre à une augmentation des triglycérides et du « mauvais » cholestérol si on admet la théorie lipidique. Nous observons le résultat inverse.

Il existe peu d'études de chrono-biologie de la nutrition. On peut citer deux travaux considérés comme anecdotiques concernant les œufs. Dans ces travaux, il est montré que la prise d'un œuf tous les matins diminue le cholestérol alors que la prise d'un œuf tous les soirs augmente le taux de cholestérol. Plus sérieuses sont les études américaines démontrant chez des cohortes que la prise d'un ou de deux œufs le matin diminue le cholestérol total et augmente le HDL-cholestérol[3]. Comment expliquer ce paradoxe ? Du point de vue biologique, la synthèse du cholestérol est sous la dépendance d'une enzyme, l'HMGCoA réductase, qui est à la fois le facteur limitant de la synthèse et qui est soumise à un rétrocontrôle par le cholestérol lui-même. La biosynthèse du cholestérol se déroule à partir de l'acétylCoA provenant du catabolisme du glucose (et non des acides gras) et elle représente de 80 à 85 % du cholestérol circulant. Le cholestérol alimentaire ne représente que 15 à 20 % du cholestérol circulant. Un apport en cholestérol peut donc bloquer la biosynthèse au niveau de l'HMGCoA réductase. La différence entre l'apport le matin et le soir réside dans la variation nycthémérale de l'activité de l'enzyme. Sur la figure 1 sont représentées les variations d'activité en fonction de l'heure du rythme jour/nuit[4-6].

3. P. Schnohr *et al.*, « Eggs consumption and high density lipoprotein cholesterol », *J. Intern. Med.*, 235, 249-251, 1994.
4. T.S. Parker, D. McNamara, C.D. Brown *et al.*, « Plasma mevalonate as a measured of cholesterol synthesis in man », *J. Clin. Invest.*, 74, 795-804, 1984.
5. P.J.H. Jones, « Evidence for diurnal periodicity in human cholesterol synthesis », *J. Lipid Res.*, 31, 667-673, 1990.
6. W. Le Goff, M. Guerin, J. Chapman, E. Bruckert, « Variations nycthémérales et interindividuelles de la synthèse du cholestérol », *Sang, Thrombose, Vaisseaux*, 13, 461-467, 2001.

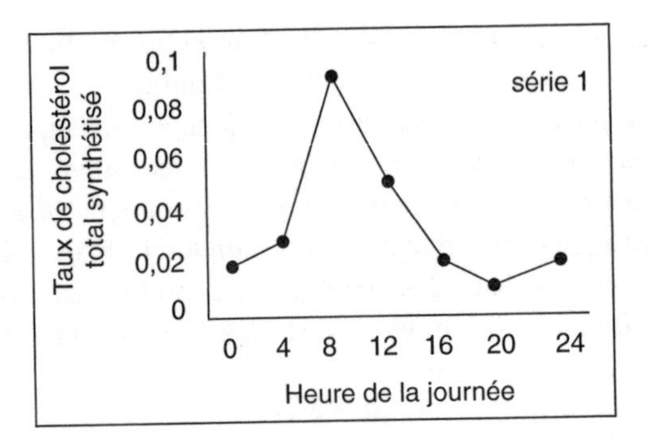

Figure 1. Représentation de l'activité de l'HMGCoA réductase (le pic de production du cholestérol se situe au début de la matinée).

Cette activité est maximale au petit matin et se poursuit jusqu'à midi. Globalement la biosynthèse nocturne du cholestérol est légèrement supérieure à la biosynthèse diurne. Il en va totalement autrement si l'on considère la biosynthèse entre 6 et 12 heures, qui représente 70 % de l'ensemble du nycthémère. Ainsi l'apport du cholestérol le matin bloque la biosynthèse, alors que le soir, où l'activité de l'enzyme est pratiquement nulle, un apport de cholestérol s'ajoute à celui déjà préexistant. Quant à l'augmentation du HDL et la diminution des triglycérides, ce serait l'acide myristique trouvé dans le beurre qui en serait en partie responsable[1].

Conclusion

Il s'agit d'une étude prospective qui sera développée sur un plus grand nombre de patients et durant un laps de temps plus long. On sait que pratiquement tous les régimes entraînent une diminution de poids sur trois mois mais que l'on observe souvent des reprises de poids après six ou douze mois. On peut cependant conclure que la chrono-nutrition hypocalorique est une méthode permettant de diminuer le poids des individus sans que ceux-ci aient une sensation de faim et sans qu'ils se trouvent privés, puisque tous les aliments sont acceptés dans la mesure où les règles du moment de leur prise sont respectées.

Cette méthode de chrono-nutrition hypocalorique n'est pas dangereuse, en dépit de la prise de quantité élevée de lipides et plus particulièrement les acides gras saturés. En fonction des résultats biologiques, cette méthode permet même de protéger les patients contre les risques athérogènes. Enfin, cette étude montre que la théorie lipidique avec des régimes hypolipidiques devrait être oubliée et remplacée par la théorie glucidique.

Le juste retour aux sources

L'homme préhistorique

Les hommes sont sur terre depuis 2,5 millions d'années, et ce n'est que depuis 10 000 ans que les habitudes de vie ont changé. Initialement, nourris de la chair des animaux sauvages (surtout charognes, tués à la chasse ou pêchés) et des végétaux cueillis ou ramassés, ces hommes pratiquaient par nécessité un exercice physique indispensable à la quête de leur nourriture.

Avec l'apparition de l'élevage des animaux engraissés, de l'agriculture de céréales farineuses, l'homme a non seulement modifié son alimentation, mais il est devenu sédentaire. Un nouveau changement est intervenu avec l'ère industrielle qui a apporté un surcroît de sucres rapides (sucreries, confiseries, pâtisseries) associé à un apport de plus en plus important d'acides gras saturés (graisse animale) ou d'insaturés non utilisables (huile de pression à chaud).

Des études comparatives menées par un médecin paléontologue (le docteur Gilles Delluc, endocrinologue, co-auteur de *La Nutrition préhistorique*, avec Brigitte Delluc et Martine Roques, chez Pilote 24 en 1995) montrent que les variations sont très grandes entre la nourriture de l'homme du paléolithique, celle de l'homme actuel et même celle recommandée par les experts.

La nutrition à travers les âges

Nutriments (ANC)	**Paléolithique**	**États-Unis**	**France**	**Recommandations des experts de l'OMS**
Protides (%)	33	12	18-20	12-16
Glucides (%)	46	46	45-50	55-58
Lipides (%)	25	35	25-28	24-26
Fibres	100	20	20-22	30-45
Sodium *(mg/jour)*	690	2 300	1 800	1 100
Calcium *(mg/jour)*	1 500	750	800	800

Même si les valeurs rapportées au paléolithique sont sujettes à critique, il n'en demeure pas moins que nos ancêtres mangeaient beaucoup de viande (l'homme est un omnivore) et une grande quantité de fibres. Je n'ai pas résisté à faire figurer le sodium et le calcium pour montrer que nous mangeons sans doute trop salé et que les apports calciques sont insuffisants. Remarquons que le Français se nourrit d'une façon assez proche des recommandations des experts de l'OMS.

Notre patrimoine génétique n'a certainement pas changé depuis l'apparition de l'agriculture et de l'élevage. Aussi ces chiffres devraient-ils nous faire réfléchir pour tenter de nous rapprocher de nos instincts.

De plus, les études des paléontologues permettent de connaître les pulsions de l'homme concernant son rythme alimentaire.

Il ressort de ces études que l'homme primitif mangeait davantage le matin et le midi, que les corps gras sont les premiers utilisés, et que les fibres sont réparties sur l'ensemble de la journée

Une des clés de notre équilibre alimentaire est de retrouver avant tout un rythme des repas le plus naturel possible, ce qui représente, comme vous l'a expliqué plus haut Alain Delabos, un des trois paramètres de la chrono-nutrition : le bon aliment, dans la bonne quantité, au bon moment.

Les rythmes biologiques : la chrono-biologie

La plupart des organismes vivants, homme inclus, sont soumis à des variations journalières et saisonnières. Les rythmes biologiques sont une des caractéristiques de la vie. Chez l'homme, le rythme de base est un rythme circadien (période comprise entre 20 et 28 heures), avec pour les femmes un rythme circamensuel. Ces rythmes correspondent à l'adaptation de chaque espèce à un environnement en fonction de la rotation de la terre et du rythme jour/nuit.

Ceci est vrai pour l'organisme, mais également pour chaque fonction et pour chaque cellule prise isolément. Une cellule ne peut assurer toutes ses fonctions en même temps. Elle ne pourra donc pas effectuer à la fois son activité physiologique, la fonction de renouvellement de son intégrité, et sa multiplication pour son remplacement. Toutes ces activités nécessitant beaucoup d'énergie. Chaque cellule est programmée dans le temps et effectue chaque fonction dans une tranche horaire précise.

Il existe plusieurs horloges biologiques, aussi appelées oscillateurs, qui sont remises à l'heure grâce à des synchroniseurs externes comme l'alternance lumière/obscurité, mais aussi par des éléments de la vie sociale comme la prise des repas à heure fixe.

Devant la complexité du système, j'ai choisi un exemple classique avec le cortisol, une hormone qui par définition est libérée dans le flux sanguin et va agir sur toutes les cellules de l'organisme. Elle pénètre dans la cellule jusqu'au noyau et va induire ou réprimer au niveau de nos gènes une synthèse d'acide nucléique, puis la synthèse d'enzymes.

Un pic de cortisol est observé à 8 heures du matin, alors que le minimum est trouvé vers minuit. La différence entre le pic et la vallée est très grande puisque les taux passent de 2 jusqu'à 20 ng/ml dans le plasma sanguin.

Les enzymes synthétisées sous le contrôle de ce cortisol suivront un même rythme mais avec un retard dû à leur propre synthèse.

Toutes les hormones subissent des rythmes biologiques. Le fameux 5 à 7 heures (heures solaires) correspond au pic de sécrétion des hormones sexuelles de la femme, alors que pour la testostérone de l'homme ce pic se produit 2 à 3 heures plus tôt. La nature est bien faite !

L'hormone de croissance a un pic au milieu de la nuit : on grandit en dormant.

Ces exemples montrent la complexité du système, complexité qui peut augmenter avec la prise de nourriture. En gardant l'hormone de croissance comme exemple, les acides gras et les glucides diminuent sa libération alors que certains acides aminés la stimulent. Un enfant en pleine croissance qui mangerait trop de glucides et de lipides le soir stopperait sa croissance. Au contraire, ne pas manger le soir stimule l'hormone, ce qui est souhaitable pour la reconstitution des tissus, et ce toute la vie, y compris chez les personnes âgées.

Pour simplifier :

– **Les glucides** pris le matin entraînent une forte libération d'insuline. Ils sont alors utilisés comme matériaux énergétiques par les cellules sous la dépendance de l'insuline (les muscles, par exemple), ou stockés pour une utilisation rapide sous forme de glycogène hépatique. À l'inverse, la même quantité de glucides prise le soir entraîne une faible libération d'insuline.

Ils seront alors utilisés par toutes les cellules avec une mise en réserve sous forme de graisses. En d'autres termes, un glucide pris lors de l'activité quotidienne est brûlé comme apport d'énergie, alors qu'il est mis en réserve s'il est pris trop tard le soir.

Mais ils ont l'avantage d'être vite brûlés. Donc si l'on ne se couche pas juste après les avoir pris, on ne risquera pas de catastrophe.

– **Les lipides** pris le matin sont en partie métabolisés comme apport d'énergie et en partie incorporés par les membranes. Pris le soir, ils sont stockés et inhibent l'hormone de croissance.

N'oubliez pas que c'est le matin qu'on stocke les lipides destinés à fabriquer plus tard les parois de ses cellules.

Une place à part pour les poly-insaturés qui permettent d'améliorer la fluidité, c'est-à-dire la souplesse des membranes, et qui sont incorporés le matin mais également le soir. Ils permettent une meilleure jonction, une meilleure communication entre les cellules. S'il s'agit de cellules nerveuses, ils amélioreront les processus de mémorisation (cas du poisson), ou diminueront le risque de crise migraineuse.

Donc il vaudra mieux manger du poisson le soir si l'on a faim, d'autant qu'on joindra l'utile à l'agréable.

Un autre cas particulier, avec le cholestérol.

Notre cholestérol provient de notre propre synthèse par le foie à plus de 90 %, et cette synthèse a lieu le matin.

Cette synthèse nécessite des glucides comme matière première, et elle est contrôlée par le cholestérol lui-même. Un excès de cholestérol inhibe la synthèse endogène.

Ainsi le cholestérol de l'alimentation diminue-t-il la synthèse endogène s'il est pris le matin alors qu'il s'additionne à nos réserves s'il est pris le soir.

Raison pour laquelle le fromage est l'aliment privilégié du matin et fortement déconseillé le soir.

Pour les protéines, le moment de la prise est plus difficile à déterminer. Le foie, qui privilégiait la synthèse du glycogène à partir des sucres le matin, utilise les acides aminés pour la synthèse des protéines circulantes pendant la phase de repos.

Prises le midi, les protéines sont plus digestes (activité maximale des enzymes protéolytiques de l'estomac et de l'intestin) et sont en partie utilisées comme source d'énergie, et en partie pour les synthèses cellulaires. Le soir, il faut préférer des protéines à chaînes plus courtes, mieux digérées, et les acides aminés libérés servent à la reconstitution des cellules (cas des protéines de poisson).

Ceci vous explique pourquoi nous conseillons de manger toutes les viandes que vous voudrez à midi et non le soir.

– **Et les fibres ?** Théoriquement, elles peuvent être prises à n'importe quel moment de la journée, même en dehors des repas. **Cependant, ne pas en prendre trop le soir pour avoir un bon sommeil.**

Voilà pourquoi les potages et les salades du soir ne sont pas indiqués, contrairement aux recommandations de la diététique classique.

En pratique, avec toutes les recommandations et si l'on tient compte des besoins qui changent d'un jour à l'autre, il faudrait un ordinateur pour définir une alimentation rationnelle... sans pour cela supprimer les risques d'erreur. Il vaut mieux sans aucun doute proposer une alimentation raisonnable reposant sur quelques principes simples et tenant compte de nos obligations.

La civilisation nous obligeant souvent à des horaires de travail ne respectant pas le rythme de vie naturel, il faudra bien adapter notre alimentation à ces impératifs hors nature.

1) Ne pas vouloir tout satisfaire en un seul jour. Mathématiquement, le volume de nourriture ingéré serait trop important. Il est préférable de raisonner sur une semaine.

2) Ne pas tomber dans la monotonie en évitant de manger toujours le même type de repas, source de carences et de dégoût.

C'est ce qui a décidé notre institut à proposer des recettes de cuisine les plus imaginatives possibles.

3) Savoir que si l'on diversifie les repas, les carences en oligo-éléments et en vitamines n'existent pas en France pour une ration calorique normale.

4) Prendre les repas à heures fixes, si possible dans un environnement convivial.
Ou à défaut adapter ses repas à son rythme de vie, mais surtout ne pas manger à contretemps de son activité.

5) Ne pas oublier une activité physique quotidienne, et pas seulement le week-end et pendant les vacances.
Un peu d'activité tous les jours permet un fonctionnement régulier de notre corps, trop d'un seul coup ne fait que le fatiguer inutilement.

Les nouveautés sont essentiellement liées à la chrono-biologie et sont logiques avec au total le même nombre de calories par jour. On en retrouvera l'application dans la méthode du docteur Delabos.

Les normes classiques de diététique préconisent trois repas par jour en moyenne qui devraient représenter 25, 45, et 30 % de la ration calorique quotidienne. Ce sont des recommandations dont nous avons modifié les proportions dans les années 1990 pour les adapter à la vie moderne. Pour éviter un repas du soir trop copieux, il est en effet possible de le partager en une collation dès 17 heures, suivie plus tard d'un dîner léger.

Pour être clair, si vous voulez mincir, moins vous mangerez le soir, mieux cela vaudra.

Mais il s'avère, à l'heure actuelle, que l'étude des cycles métaboliques du cortisol et de l'insuline vient de permettre d'affirmer sans discussion le mécanisme physiologique objectivant le bien-fondé de la chrono-nutrition, des données scientifiques venant confirmer de façon tangible les résultats obtenus grâce à l'observation clinique répétée des milliers de fois.

Le petit déjeuner, à juste titre, doit être copieux et riche en acides gras et en glucides lents. Le pain apporte les fibres, l'utilisation de pain complet en apportera le maximum.

Le déjeuner comprend les protéines animales ou autres associées à des glucides et des fibres.

La collation de l'après-midi, coupe-faim, est discrète mais suffisante pour nous faire patienter si l'on n'a pas suffisamment mangé le matin ou le midi.

Ce goûter n'est pas seulement un coupe-faim, il est défatigant, et si l'on veille à y incorporer les aliments que nous conseillons, il aura en prime un effet de détente permettant de terminer la journée en douceur.

Le repas du soir est léger et comporte peu d'aliments caloriques.

Mise en pratique depuis plusieurs années sur des milliers d'individus, hommes et femmes, cette méthode fait maigrir les personnes enrobées et au contraire fait grossir les maigres. Dans tous les cas, le dynamisme et le plaisir de vivre sont retrouvés.

Mais la grande fierté de l'IREN est à l'heure actuelle d'avoir apporté la preuve que la chrono-nutrition, si elle est bien appliquée, est non seulement un moyen efficace de contrôler sa silhouette et son poids, mais également de maîtriser parfaitement le métabolisme du cholestérol et de contrôler les diabètes non insulino-dépendants.

Et chaque patient revenant faire le point cinq, six, voire huit ans après son apprentissage, apporte à nos chrono-nutritionnistes le bonheur de confirmer le bien-fondé des recherches de l'institut.

IREN
INSTITUT DE RECHERCHE EUROPÉEN SUR LA NUTRITION

L'institut a pour objet :

– L'étude expérimentale des aliments et de leurs effets thérapeutiques ou nocifs sur l'être humain.

– L'exploration des désordres biologiques créés par des carences, des excès ou des déviations alimentaires.

– Les études de recherches cliniques permettant le dépistage et la caractérisation des facteurs de risque liés aux anomalies nutritionnelles.

– Les études et les enquêtes épidémiologiques des problèmes de la nutrition sous leurs aspects psychologiques et thérapeutiques.

– La recherche et l'étude de la somatisation sur les comportements alimentaires.

– La recherche sur les médicaments susceptibles de contribuer à la maîtrise et à la correction des anomalies d'origine organique ou psychosomatique.

– La validation des protocoles d'examens cliniques qui permettent de pouvoir évaluer la nature et l'évolution des anomalies morphologiques.

Adresses de l'IREN en France :

21, rue Royale, 75008 Paris. – 3, rue de la Pie, 76000 Rouen.
Tél. (centralisé) : 02 35 73 09 23

L'origine de l'IREN

L'institut est le résultat d'une complémentarité entre six personnes dont le trait de caractère commun était **l'esprit de recherche** et le trait d'union intellectuel la **nutrition**, chacune traçant sa voie dans une direction précise, mais les unes et les autres échangeant régulièrement entre elles les résultats de leurs découvertes et de leurs conclusions.

C'est ainsi que le professeur Rapin, chercheur en pharmacologie et directeur scientifique du Centre européen de bioprospective, permit en 1994 au docteur Delabos, médecin nutritionniste, d'expliquer scientifiquement son expérience clinique de la *Rééducation alimentaire naturelle.*

C'est également grâce au professeur Rapin que le docteur Curtay, nutrithérapeute, les a rejoints, ainsi que le docteur Jamot, expert en gérontologie.

Amicalement sollicité, le docteur Simonin, épidémiologiste, accepta de s'impliquer dans la voie de recherches communes, et le docteur Tapiero, nutritionniste associé depuis deux ans au docteur Delabos, vint compléter l'équipe en apportant son expérience de la communication.

Ainsi fut créé l'IREN en 1996.

Les buts de l'IREN

Les buts de l'institut découlent en toute logique de ce qu'on a pu lire plus haut :

– Définir les bases scientifiques de la nutrition.

– Appliquer dans la vie quotidienne les résultats des découvertes sur la nutrition.

– Créer des nutriments susceptibles d'éviter le recours aux thérapeutiques chimiques.

– Apprécier l'évolution et le progrès de la nutrition grâce aux travaux effectués.

– Faire connaître auprès du grand public, des entreprises et des industries les bases et les définitions de la nutrition optimale suivant les âges et les conditions de vie.

– Ralentir le vieillissement.

L'organisation de l'IREN

Bien des années se sont écoulées depuis que, en 1994, le professeur Jean-Robert Rapin m'a demandé de jeter les bases d'un institut de recherches, celles-ci aboutissant à la création de l'IREN en 1996.

Il en est toujours le directeur scientifique au moment où j'écris ces lignes, le docteur Robert Caduc en étant le président et j'en suis encore le directeur général.

Mais la fatigue, l'âge, des raisons de santé, ou d'autres responsabilités trop prenantes ont clairsemé la troupe des membres fondateurs, heureusement remplacés par de jeunes médecins, pharmaciens, nutritionnistes, naturopathes et autres professionnels de la santé.

Tous encore plus enthousiastes, car témoins du bien-fondé incontestable de la chrono-nutrition, et d'autant plus motivés que la plupart fait partie des élèves dont j'assure la formation à l'université de Bourgogne, dans le cadre d'un diplôme universitaire enseigné à la faculté de Dijon.

Merci du fond du cœur à Jean-Louis Simonin, Jean-Paul Curtay, Claude Chertier, Laurent Tapiero et Pierre Le Patezour d'avoir eu l'amitié et le courage d'accompagner l'institut dans ses premiers pas.

Merci à ces compagnons des premiers jours d'avoir su affronter sans faiblir, au cours d'une longue marche, des critiques parfois acerbes, que nos travaux nous ont permis de réfuter les unes après les autres.

Hier vilipendée, aujourd'hui copiée, la chrono-nutrition a fait depuis plusieurs années la preuve de son bien-fondé. Et pour mon plus grand bonheur, elle attire vers l'institut de plus en plus de néophytes de tous âges, avides d'approfondir leurs connaissances, grâce notamment au diplôme universitaire enseigné à Dijon, les stages en ma compagnie et les croisières de formation en Méditerranée.

Bienvenue à :

– Gisèle Jeanmaire, promue en 2004 membre fondateur et directrice du département d'épidémiologie.

– Valérie Renouf, soutien fidèle de l'institut depuis sa fondation et promue en 2003 secrétaire adjointe.

– Dany Naouri, promue en 2004 membre fondateur et directrice du département des recherches comportementales.

– Jean-René Mestre, promu en 2003 membre fondateur de l'institut dont il est le secrétaire et directeur du département de micro-nutrition.

– Guylène Delabos, mon épouse, créatrice depuis 1998 des centaines de recettes de cuisine plus délicieuses les unes que les autres, promue en 2004 directrice du service de nutrition appliquée, rattachée au département des recherches cliniques.

– Chantal Amouroux, membre de l'institut, promue directrice

du service de thérapie corporelle, rattaché au département des recherches cliniques.

– Nunzia Franco, promue directrice du service des recherches en psychothérapie appliquée, rattaché également au département des recherches cliniques.

– Département de recherches pharmacologiques	**Pr Rapin**
– Département de recherches cliniques	**Dr Delabos**
– Département de micro-nutrition	**M. Mestre**
– Département de gérontologie	**Dr Jamot**
– Département d'épidémiologie	**Dr Jeanmaire**
– Département de recherches comportementales	**Dr Naouri**
– Président de l'institut	**Dr Caduc**

Le Département de recherches cliniques est le pivot entre les recherches scientifiques de l'institut et la vie au quotidien de ses adhérents. À ce titre, il gère quatre services assurant la liaison entre les scientifiques et le public :

– Service de consultations nutritionnelles sous l'autorité du **Dr Delabos.**

– Service de recherches en psychothérapie appliquée dirigé par **Nunzia Franco.**

– Service de thérapie corporelle dirigé par **Chantal Amouroux.**

– **Service de nutrition appliquée** dirigé par **Guylène Delabos**.

La coordination interne et la communication externe de l'institut sont assurées conjointement par **le Pr Rapin et le Dr Delabos.**

Pr Jean-Robert Rapin

Professeur de pharmacologie,
Directeur du département de recherches pharmacologiques de l'IREN.

Spécialisé dans l'étude de la physiopathologie et des traitements des maladies dégénératives (diabète et Alzheimer), les recherches qu'il a menées ont montré que, en dehors des facteurs génétiques, de très nombreux facteurs, souvent liés entre eux, pouvaient influencer l'apparition et le développement de ces maladies. Il a par exemple mis en évidence que :

Le **stress** et les carences qu'il entraîne sont un de ces facteurs que l'on peut aisément maîtriser par une nutrition adaptée riche en magnésium et en certains oligo-éléments comme le zinc ou le sélénium.

Les **dépressions** exogenes sont souvent la première manifestation des maladies neurodégénératives et doivent être prises en charge par une nutrition adaptée riche en tyrosine et en tryptophane. Des traitements médicamenteux ne seront alors nécessaires qu'en fonction de l'intensité des troubles et de la souffrance ressentie par le malade.

Les **troubles du sommeil**, fréquents chez les anxieux, correspondent presque toujours à des carences en tryptophane et sont supprimés dans ce cas par une nutrition appropriée, ce qui permet d'éviter ainsi l'utilisation de somnifères.

Les **surcharges pondérales,** souvent révélatrices d'un diabète non insulino-dépendant, sont presque toujours en rapport avec une mauvaise nutrition responsable de carences, qui déclenchent un phénomène de surcompensation nutritionnelle.

Auteur de plus de cinq cents publications dans ces domaines, le professeur Rapin développe actuellement des études sur les

interactions des médicaments avec les aliments et les prises alimentaires. C'est de lui qu'est venue l'idée d'associer des chercheurs souvent trop théoriciens avec des cliniciens qui observent au quotidien les erreurs nutritionnelles.

Dr Alain Delabos

Docteur en médecine,
Nutritionniste,
Directeur du département de recherches cliniques de l'IREN.

Médecin clinicien de formation, il étudie depuis 1986 les manifestations cliniques des erreurs nutritionnelles, ce qui lui a permis, au bout de huit années d'observations sur plus de 20 000 patients, de définir les règles de la *morpho-nutrition*. Cette méthode révolutionnaire d'évaluation visuelle des habitudes alimentaires lui permet ainsi de diagnostiquer, par l'examen clinique, les excès ou les carences en stockages nutritionnels.
Parallèlement, il définit les règles de la chrono-nutrition et contacte le professeur Rapin, avec lequel il a déjà collaboré à des travaux sur le vieillissement cérébral, afin de savoir si ses découvertes fondées sur l'observation clinique peuvent être validées scientifiquement.
Il se révèle que, au programme de nutrition proposé par le clinicien, correspondent des libérations d'enzymes et d'hormones vérifiées par les scientifiques, permettant ainsi de confirmer l'existence d'une *chrono-biologie nutritionnelle*.
Ces recherches parallèles et leur indiscutable complémentarité incitent le professeur Rapin à proposer au docteur Delabos la création d'un institut de recherche. C'est ainsi qu'est né l'IREN.
Parallèlement à la direction du Département des recherches cliniques de l'IREN, il est aussi chargé de cours à l'université de Bourgogne, afin de faire connaître et d'enseigner à ses confrères français et étrangers les bases de la chrono-nutrition et de la morpho-nutrition.

Jean-René Mestre

Docteur en pharmacie,
Chevalier du mérite agricole,
Titulaire d'un diplôme universitaire de phytopharmacie,
Titulaire d'un diplôme universitaire de biologie et médicament vétérinaire,
Titulaire d'un diplôme universitaire de pharmacologie des produits de la vigne,
Titulaire d'un diplôme universitaire de suivi du malade à domicile,
Titulaire du diplôme universitaire de nutraceutique de l'université de Bourgogne,
Secrétaire Général de l'IREN depuis 2004,
Directeur du département de recherche en micro-nutrition.

Curieux de tout, toujours prêt à rendre service, et nanti d'un solide goût du risque, il est par ailleurs pharmacien-capitaine des pompiers et pilote de montgolfière. Mais également :
Chevalier-fondateur de la Verte Confrérie de la Lentille du Puy,
Président d'honneur (fondateur) de la Société des Amis du musée Crozatier du Puy-en-Velay,
Membre du comité historique des fêtes du Roi de l'Oiseau,
Membre suppléant de la Commission Départementale des Objets Immobiliers.

Sa réputation de sage conseiller sachant se faire entendre et respecter, lui vaut enfin l'honneur d'être juge au tribunal de commerce du Puy-en-Velay.

Écrivain disert, il a écrit :
La lentille verte du Puy : histoire d'un cru
Autrefois, l'apiculture – Paysan d'antan
La lentille verte du Puy : une AOC particulière

Et il publie en 2005 :
Ruches et abeilles : architecture, traditions, patrimoine

Dr Jean-Claude Jamot

Docteur en médecine,
Gérontologue,
Expert en gérontologie,
Membre de l'International Psycho-Geriatric Association,
Membre de la Société française de gérontologie,
Directeur du département de gérontologie de l'IREN.

Spécialisé dans l'étude clinique des pathologies cérébrales en gérontologie, il participe depuis plus de vingt ans à des expérimentations cliniques menées par des laboratoires pharmaceutiques de renommée mondiale.
Il a ainsi fait partie des équipes médicales qui ont notablement fait avancer les connaissances médicales sur l'évolution et le traitement des maladies cérébrales liées au vieillissement.
Il met depuis 1996 son expérience de gérontologue au service de l'IREN afin de développer des études cliniques sur les apports nutritionnels physiologiques et thérapeutiques chez les personnes âgées.
Particulièrement qualifié dans l'étude clinique de la maladie d'Alzheimer, c'est à lui, dans le cadre de son département de recherche, qu'il appartient de définir les comportements alimentaires utiles dans les vieillissements pathologiques, en collaboration avec le Département de nutrithérapie, le Département de pharmacologie et le Département de recherches cliniques.

Dr Gisèle Jeanmaire

Docteur en médecine, spécialiste en gynécologie médicale,
Vice-présidente du Collège de Gynécologie de Bordeaux et du Sud-Ouest,
Cofondatrice du Comité de Défense de la Gynécologie Médicale (CDGM),
CES de gynécologie médicale,
Titulaire d'un diplôme universitaire de neuro-endocrinologie,
Titulaire d'un diplôme universitaire d'ultrasonographie médicale option gynécologie-obstétrique,
Titulaire d'un diplôme universitaire de méthodes d'exploitation du tissu osseux,
Titulaire d'un diplôme universitaire de nutraceutique, alicaments, aliments santé,
Directrice du département d'épidémiologie de l'IREN.

Installée en Vendée depuis 1978, elle a exercé en milieu libéral et hospitalier, puis exclusivement en libéral depuis 2001
Sa carrière de gynécologue est émaillée de formations lui apportant un large éventail de connaissances diverses :
Conseillère conjugale diplômée de l'Institut de Formation de Recherche et d'Études sur la Sexualité et la Planification Familiale,
Formation en analyse transactionnelle acquise à l'Institut Régional d'Analyse Transactionnelle de l'Ouest,
Enseignement de diététique médicale.

À cela s'ajoute une précieuse connaissance de l'outil informatique, de la bureautique et de la navigation sur Internet.

Dr Dany Naouri

Docteur en pharmacie diplômée de l'université de Lyon,
Titulaire d'un diplôme universitaire d'orthopédie,
Titulaire du diplôme universitaire de nutraceutique de l'université de Dijon,
Directrice du département des recherches comportementales de l'IREN.

Curieuse de la nouveauté et de tout ce qui sort de l'ordinaire, Dany Naouri a écrit sa thèse sur la magie et l'homéopathie, thèse pour laquelle elle a obtenu les félicitations du jury. Elle est également titulaire d'un certificat d'œnologie passé également à Dijon... mais pas en même temps que le diplôme de nutraceutique !
Cet esprit de curiosité et de recherche alliant la fantaisie à beaucoup de rigueur, nous a fait lui demander de prendre en charge tout ce qui concerne les comportements vis-à-vis de la nutrition.

Dr Robert Caduc

Docteur en médecine,
Nutritionniste,
Ostéothérapeute,
Membre de la Société de médecine mécanique (méthode Pécunia),
Président de l'IREN

Médecin clinicien de formation, diplômé en 1967 de la Faculté de Paris. Il exerce depuis trente ans en secteur libéral.
Sportif d'excellent niveau, il s'intéresse depuis longtemps aux problèmes des souffrances du rachis et des articulations, qu'ils soient liés aux pathologies d'arthrose ou de dégénérescence articulaire.
Il fait partie depuis 1984 de la Société française de médecine mécanique, et s'intéresse au problème de surpoids dans le cadre de son retentissement sur le rachis et la colonne vertébrale.
Membre du GRIO (Groupe de recherche et d'information sur les ostéoporoses) depuis sa création.
C'est ainsi qu'il s'est initié en 1996 avec l'aide du Dr Alain Delabos, aux méthodes d'évaluation morphologique et de *chrono-nutrition* mises au point par l'IREN.
Parallèlement à son activité médicale, le docteur Caduc assume depuis longtemps de hautes responsabilités syndicales et gestionnaires dans la région Provence-Alpes-Côte d'Azur.

C'est à ces divers titres que les membres fondateurs de l'IREN lui proposent de faire partie des leurs, et d'accepter la présidence de l'institut.

Direction éditoriale : Laure Paoli

Conception graphique : Stéphanie Le Bihan
Illustration p. 54 : Marie Delabos

Composition IGS
Impression Bussière, novembre 2006
Éditions Albin Michel
22, rue Huyghens, 75014 Paris
www.albin-michel.fr

ISBN : 978-2-226-15722-5
N° d'édition : 24914 – N° d'impression : 063881/4
Dépôt légal : mars 2005
Imprimé en France.